Dieses Taschenbuch enthält in französisch-deutschem Paralleldruck die schönsten «Briefe aus meiner Mühle» von Alphonse Daudet (1840–1897). Neben dem «Tartarin von Tarascon» sind die «Briefe» sein berühmtestes Buch. Es sind keine wirklichen Briefe, sondern Prosastücke verschiedener Erzählweise – fabelartig, balladesk, chronistisch, schwankhaft –, die über Land und Leute rund um eine Windmühle in der Provence berichten. Ihre – wie Daudet selber sagt – «sonderbare Mischung aus Phantasie und Realität» hat nach ihrem Erscheinen 1879 den Europäern die Provence und ihre Bewohner erst so richtig nahegebracht und bestimmt noch heute unser Provence-Bild.

Sympathisch ist die menschliche Wärme, mit der Daudet seine Geschichten erzählt, bewegend sind seine herben und melancholischen Töne, und sehr köstlich ist seine allgegenwärtige Schalkhaftigkeit.

dtv zweisprachig · Edition Langewiesche-Brandt

Alphonse Daudet

Lettres de mon moulin

Briefe aus meiner Mühle

Auswahl, Übersetzung und Nachwort
von Richard Fenzl

Deutscher
Taschenbuch
Verlag

November 1985. Originalausgabe
Umschlaggestaltung: Celestino Piatti
Gesamtherstellung: Kösel, Kempten
ISBN 3-423-09221-1. Printed in Germany

Le secret de maître Cornille

Francet Mamaï, un vieux joueur de fifre, qui vient de temps en temps faire la veillée chez moi, en buvant du vin cuit, m'a raconté l'autre soir un petit drame de village dont mon moulin a été témoin il y a quelque vingt ans. Le récit du bonhomme m'a touché, et je vais essayer de vous le redire tel que je l'ai entendu.

Imaginez-vous pour un moment, chers lecteurs, que vous êtes assis devant un pot de vin tout parfumé, et que c'est un vieux joueur de fifre qui vous parle.

Notre pays, mon bon monsieur, n'a pas toujours été un endroit mort et sans renom, comme il est aujourd'hui. Autre temps, il s'y faisait un grand commerce de meunerie, et, dix lieues à la ronde, les gens des *mas* nous apportaient leur blé à moudre... Tout autour du village, les collines étaient couvertes de moulins à vent. De droite et de gauche on ne voyait que des ailes qui viraient au mistral par-dessus les pins, des ribambelles de petits ânes chargés de sacs, montant et dévalant le long des chemins; et toute la semaine c'était plaisir d'entendre sur la hauteur le bruit des fouets, le craquement de la toile et le *Dia hue!* des aides-meuniers... Le dimanche nous allions aux moulins, par bandes. Là-haut, les meuniers payaient le muscat. Les meunières étaient belles comme des reines, avec leurs fichus de dentelles et leurs croix d'or. Moi, j'apportais mon fifre, et jusqu'à la noire nuit on dansait des farandoles. Ces moulins-là, voyez-vous, faisaient la joie et la richesse de notre pays.

Malheureusement, des Français de Paris eurent l'idée d'établir une minoterie à vapeur, sur la route de Tarascon. Tout beau, tout nouveau! Les gens prirent l'habitude d'envoyer leurs blés aux minotiers, et les pauvres moulins à vent restèrent sans ouvrage. Pendant quelque temps ils essayèrent de lutter, mais la

6
7

Meister Cornilles Geheimnis

Francet Mamaï, ein alter Querpfeifer, der mich ab und zu am Feierabend besucht und bei mir ein Glas Dessertwein trinkt, hat mir neulich ein kleines Dorfdrama erzählt, dessen Zeuge meine Mühle vor etwa zwanzig Jahren gewesen ist. Der Bericht des wackeren Mannes ist mir nahegegangen, und ich will versuchen, ihn so wiederzugeben, wie ich ihn gehört habe.

Stellen sie sich also, liebe Leser, einen Augenblick vor, Sie säßen vor einem Krug recht würzigen Weines und ein alter Querpfeifer spräche zu Ihnen.

Unsere Gegend, mein lieber Herr, war nicht immer so tot und unbekannt wie heute. Einst blühte hier ein schwungvolles Müllerhandwerk, und aus zehn Meilen im Umkreis brachten uns die Leute von den Meierhöfen ihr Korn zum Mahlen . . . Windmühlen standen auf den Hügeln rings ums Dorf. Zur Rechten und zur Linken sah man nichts als Mühlenflügel, die sich über den Pinien im Mistral drehten, endlose Reihen von Eselchen, die mit Säcken beladen die Wege entlang hinauf- und hinunterzuckelten; und die ganze Woche über war es eine Lust, auf der Anhöhe das Peitschenknallen, das Knattern der Plane und das Hü und Hott der Müllerburschen zu hören . . . Sonntags zogen wir in Scharen zu den Mühlen.

Dort oben spendierten die Müller Muskatellerwein. Die Müllersfrauen mit ihren Spitzentüchern und ihren Goldkreuzchen waren schön wie Königinnen. Na und ich – ich brachte meine Querpfeife mit, und bis tief in die Nacht wurde Farandole getanzt. Diese Mühlen, wissen Sie, waren die Freude und der Reichtum unserer Gegend.

Leider fiel es Franzosen aus Paris ein, an der Straße nach Tarascon eine Dampfmühle zu errichten. Alles Neue hat seinen Reiz! Die Leute gewöhnten es sich an, ihr Getreide zu den Dampfmüllern zu schaffen, und die armen Windmühlen blieben ohne Arbeit. Eine Zeitlang versuchten sie, im Wettbewerb zu bestehen, aber der Dampf war der Stärkere, und Gott sei's

vapeur fut la plus forte, et l'un après l'autre, *pécaïre!* ils furent tous obligés de fermer... On ne vit plus venir les petits ânes... Les belles meunières vendirent leurs croix d'or... Plus de muscat! plus de farandole!... Le mistral avait beau souffler, les ailes restaient immobiles... Puis, un beau jour, la commune fit jeter toutes ces masures à bas, et l'on sema à leur place de la vigne et des oliviers.

Pourtant, au milieu de la débâcle, un moulin avait tenu bon et continuait de virer courageusement sur sa butte, à la barbe des minotiers. C'était le moulin de maître Cornille, celui-là même où nous sommes en train de faire la veillée en ce moment.

Maître Cornille était un vieux meunier, vivant depuis soixante ans dans la farine et enragé pour son état. L'installation des minoteries l'avait rendu comme fou. Pendant huit jours, on le vit courir par le village, ameutant le monde autour de lui et criant de toutes ses forces qu'on voulait empoisonner la Provence avec la farine des minotiers. «N'allez pas là-bas, disait-il; ces brigands-là, pour faire le pain, se servent de la vapeur, qui est une invention du diable, tandis que moi je travaille avec le mistral et la tramontane, qui sont la respiration du bon Dieu...» Et il trouvait comme cela une foule de belles paroles à la louange des moulins à vent, mais personne ne les écoutait.

Alors, de male rage, le vieux s'enferma dans son moulin et vécut tout seul comme une bête farouche. Il ne voulut pas même garder près de lui sa petite-fille Vivette, une enfant de quinze ans, qui, depuis la mort de ses parents, n'avait plus que son *grand* au monde. La pauvre petite fut obligée de gagner sa vie et de se louer un peu partout dans les *mas*, pour la moisson, les magnans ou les olivades. Et pourtant son grand-père avait l'air de bien l'aimer, cette enfant-là. Il lui arrivait souvent de faire ses quatre lieues à pied par le grand soleil pour aller la voir au *mas* où elle travail-

geklagt! sie alle mußten schließen, eine um die andere ... Man sah die Eselchen nicht mehr kommen ... Die schönen Müllerinnen verkauften ihre Goldkreuzchen ... Kein Muskateller mehr! Keine Farandole! ... Der Mistral mochte noch so stark blasen, die Mühlenflügel standen still ... Dann ließ die Gemeinde eines schönen Tages alle diese alten Mauern niederreißen, und man pflanzte an ihrer Stelle Rebstöcke und Olivenbäume.

Inmitten des Zusammenbruchs hatte jedoch eine Mühle standgehalten und drehte sich auf ihrem Hügel, den Dampfmüllern vor der Nase, tapfer weiter. Es war Meister Cornilles Mühle, eben diese hier, in der wir gerade unseren Feierabend verbringen.

Meister Cornille war ein alter Müller, seit sechzig Jahren im Mehlgeschäft, und er hing an seinem Beruf. Die Errichtung der Dampfmühlen hatte ihn fast um den Verstand gebracht. Acht Tage lang sah man ihn durchs Dorf laufen, alle Leute seiner Umgebung aufwiegeln und aus Leibeskräften brüllen, man wolle mit dem Mehl der Dampfmüller die Provence vergiften. «Geht nicht zu denen!» sagte er; «diese Halunken verwenden zum Brotmachen Dampf, den der Teufel erfunden hat, während ich mit dem Mistral und der Tramontana arbeite, die der Atem des liebes Gottes sind ...» Und so fand er eine Menge schöner Worte zum Lobe der Windmühlen, aber niemand hörte sie sich an.

Da schloß sich der Alte, ingrimmig und verbittert, in seiner Mühle ein und lebte ganz allein wie ein wildes Tier. Er wollte nicht einmal seine Enkelin Vivette bei sich behalten, ein Kind von fünfzehn Jahren, das seit dem Tod der Eltern niemanden mehr auf der Welt hatte als seinen Opa. Die arme Kleine mußte für ihren Lebensunterhalt selbst sorgen und sich da und dort auf den Höfen verdingen: für die Getreideernte, die Seidenraupenzucht, zum Olivenpflücken. Und doch schien ihr Großvater sie sehr zu lieben, diese Kleine. Oft geschah es, daß er ganze vier Meilen zu Fuß in der prallen Sonne zurücklegte, um sie auf dem Meierhof, wo sie gerade

lait, et quand il était près d'elle, il passait des heures entières à la regarder en pleurant...

Dans le pays on pensait que le vieux meunier, en renvoyant Vivette avait agi par avarice; et cela ne lui faisait pas honneur de laisser sa petite-fille ainsi traîner d'une ferme à l'autre, exposée aux brutalités des *baïles* et à toutes les misères des jeunesses en condition. On trouvait très mal aussi qu'un homme du renom de maître Cornille, et qui, jusque-là, s'était respecté, s'en allât maintenant par les rues comme un vrai bohémien, pieds nus, le bonnet troué, la taillole en lambeaux... Le fait est que le dimanche, lorsque nous le voyions entrer à la messe, nous avions honte pour lui, nous autres les vieux; et Cornille le sentait si bien qu'il n'osait plus venir s'asseoir sur le banc d'œuvre. Toujours il restait au fond de l'église, près du bénitier, avec les pauvres.

Dans la vie de maître Cornille il y avait quelque chose qui n'était pas clair. Depuis longtemps personne, au village, ne lui portait plus de blé, et pourtant les ailes de son moulin allaient toujours leur train comme devant... Le soir, on rencontrait par les chemins le vieux meunier poussant devant lui son âne chargé de gros sacs de farine.

– Bonnes vêpres, maître Cornille! lui criaient les paysans; ça va donc toujours, la meunerie.

– Toujours, mes enfants, répondait le vieux d'un air gaillard. Dieu merci, ce n'est pas l'ouvrage qui nous manque.

Alors, si on lui demandait d'où diable pouvait venir tant d'ouvrage, il se mettait un doigt sur les lèvres et répondait gravement: «*Motus!* je travaille pour l'exportation...» Jamais on n'en put tirer davantage.

Quant à mettre le nez dans son moulin, il n'y fallait pas songer. La petite Vivette elle-même n'y entrait pas...

Lorsqu'on passait devant, on voyait la porte toujours fermée, les grosses ailes toujours en mouve-

arbeitete, zu besuchen, und wenn er bei ihr war, schaute er sie stundenlang weinend an ...

Im Ort war man der Meinung, der alte Müller habe aus Geiz gehandelt, als er Vivette wegschickte, und es gereichte ihm nicht zur Ehre, daß er seine Enkelin so von Hof zu Hof ziehen ließ, den Grobheiten der Schäfer und all dem Elend ausgesetzt, in dem das junge Gesinde lebt. Man fand auch sehr schlecht, daß ein Mann vom Ansehen Meister Cornilles, der bislang etwas auf sich gehalten hatte, jetzt wie ein wahrer Zigeuner durch die Straßen lief: barfuß, mit Löchern in der Mütze und mit ausgefranstem Wollgürtel ... Tatsache war, daß wir uns für ihn schämten, wir Alten, wenn wir ihn sonntags in die Messe kommen sahen; und Cornille merkte es auch, so daß er nicht mehr wagte, sich in die Bank der Kirchenältesten zu setzen. Stets blieb er hinten in der Kirche, bei den Armen, in der Nähe des Weihwasserbeckens.

Über etwas im Leben Meister Cornilles waren alle ratlos. Aus dem Dorf brachte ihm seit langem niemand mehr Getreide, und dennoch drehten sich dauernd die Flügel seiner Mühle wie zuvor ...

Abends begegnete man dem Müller mal hier, mal dort, wie er seinen mit dicken Mehlsäcken beladenen Esel vor sich hertrieb.

«Guten Abend, Meister Cornille!» riefen ihm die Bauern zu; «es geht also immer noch mit der Müllerei.»

«Ja, noch immer, Kinder,» antwortete der Alte mit heiterem Ton. «Gott sei Dank! An Arbeit fehlt es uns wenigstens nicht.»

Fragte man ihn nun, woher, zum Teufel, so viel Arbeit kommen mochte, legte er einen Finger an die Lippen und antwortete ernst: «Pst! Ich arbeite für den Export ...» Mehr konnte man ihm niemals entlocken.

Die Nase in seine Mühle zu stecken, – daran war überhaupt nicht zu denken. Selbst die kleine Vivette durfte nicht hinein ...

Wann immer man vorüberkam – man sah die Tür stets verschlossen, die mächtigen Flügel stets in Bewegung; man

ment, le vieil âne broutant le gazon de la plate-forme, et un grand chat maigre qui prenait le soleil sur le rebord de la fenêtre et vous regardait d'un air méchant.

Tout cela sentait le mystère et faisait beaucoup jaser le monde. Chacun expliquait à sa façon le secret de maître Cornille, mais le bruit général était qu'il y avait dans ce moulin-là encore plus de sacs d'écus que de sacs de farine.

A la longue pourtant tout se découvrit; voici comment:

En faisant danser la jeunesse avec mon fifre, je m'aperçus un beau jour que l'aîné de mes garçons et la petite Vivette s'étaient rendus amoureux l'un de l'autre. Au fond je n'en fus pas fâché, parce qu'après tout le nom de Cornille était en honneur chez nous, et puis ce joli petit passereau de Vivette m'aurait fait plaisir à voir trotter dans ma maison. Seulement, comme nos amoureux avaient souvent occasion d'être ensemble, je voulus, de peur d'accidents, régler l'affaire tout de suite, et je montai jusqu'au moulin pour en toucher deux mots au grand-père ... Ah! le vieux sorcier! il faut voir de quelle manière il me reçut! Impossible de lui faire ouvrir sa porte. Je lui expliquai mes raisons tant bien que mal, à travers le trou de la serrure; et tout le temps que je parlais, il y avait ce coquin de chat maigre qui soufflait comme un diable au-dessus de ma tête.

Le vieux ne me donna pas le temps de finir, et me cria fort malhonnêtement de retourner à ma flûte; que, si j'étais pressé de marier mon garçon, je pouvais bien aller chercher des filles à la minoterie ... Pensez que le sang me montait d'entendre ces mauvaises paroles; mais j'eus tout de même assez de sagesse pour me contenir, et, laissant ce vieux fou à sa meule, je revins annoncer aux enfants ma déconvenue ...
12 Ces pauvres agneaux ne pouvaient pas y croire; ils me
13 demandèrent comme une grâce de monter tous deux

sah den alten Esel, der den Rasen auf dem Hofplatz vor der Mühle abweidete, und eine große magere Katze, die sich auf dem Fensterbrett sonnte und einen mit bösem Blick betrachtete.

All das roch nach Geheimnis und gab den Leuten Anlaß zu viel Klatsch. Jeder hatte für Meister Cornilles Geheimnis seine eigene Erklärung, aber allgemein ging das Gerücht, es gäbe in dieser Mühle mehr Säcke voller Taler als Säcke voll Mehl.

Dennoch kam mit der Zeit alles heraus, und zwar so:

Eines schönen Tages, als ich mit meiner Querpfeife den jungen Leuten zum Tanz aufspielte, merkte ich, daß sich mein Ältester und die kleine Vivette ineinander verliebt hatten. Im Grunde war ich darüber nicht böse, weil schließlich der Name Cornille bei uns einen guten Klang hatte, und außerdem hätte es mir Freude bereitet, diesen hübschen, niedlichen Spatz Vivette in meinem Haus herumtrippeln zu sehen. Nur wollte ich, da unsere Verliebten oft Gelegenheit hatten, beisammen zu sein, aus Angst vor unbedachten Vorkommnissen, die Angelegenheit gleich in Ordnung bringen, und ich stieg zur Mühle hinauf, um mit dem Großvater ein Wort zu reden... Ah, der alte Hexenmeister! Sie hätten sehen sollen, wie er mich empfing! Unmöglich, ihn zu bewegen, die Türe zu öffnen. Ich erklärte ihm meine Gründe so recht und schlecht durchs Schlüsselloch; und während ich sprach, fauchte die ganze Zeit dieses dürre Katzenbiest wie ein Teufel über meinem Kopf.

Der Alte ließ mich nicht ausreden und schrie mich arg rüpelhaft an, ich solle mich zu meiner Querpfeife scheren; wenn ich es eilig hätte, meinen Sohn zu verheiraten, könnte ich ja Mädchen aus der Dampfmühle holen... Glauben Sie mir: das Blut schoß mir in den Kopf, als ich diese bösen Worte hörte; aber ich blieb trotzdem besonnen genug, mich zu beherrschen. Ich ließ den alten Narren bei seinem Mühlstein und ging heim, um den Kindern mein Mißgeschick zu erzählen... Die armen Lämmer konnten es nicht fassen; sie baten mich flehentlich, beide zusammen zur Mühle hinaufgehen zu

ensemble au moulin, pour parler au grand-père... Je n'eus pas le courage de refuser, et prrrt! voilà mes amoureux partis.

Tout juste comme ils arrivaient là-haut, maître Cornille venait de sortir. La porte était fermée à double tour; mais le vieux bonhomme, en partant, avait laissé son échelle dehors, et tout de suite l'idée vint aux enfants d'entrer par la fenêtre, voir un peu ce qu'il y avait dans ce fameux moulin...

Chose singulière! la chambre de la meule était vide... Pas un sac, pas un grain de blé; pas la moindre farine aux murs ni sur les toiles d'araignée... On ne sentait pas même cette bonne odeur chaude de froment écrasé qui embaume dans les moulins... L'arbre de couche était couvert de poussière, et le grand chat maigre dormait dessus.

La pièce du bas avait le même air de misère et d'abandon: – un mauvais lit, quelques guenilles, un morceau de pain sur une marche d'escalier, et puis dans un coin trois ou quatre sacs crevés d'où coulaient des gravats et de la terre blanche.

C'était là le secret de maître Cornille! C'était ce plâtras qu'il promenait le soir par les routes, pour sauver l'honneur du moulin et faire croire qu'on y faisait de la farine... Pauvre moulin! Pauvre Cornille! Depuis longtemps les minotiers leur avaient enlevé leur dernière pratique. Les ailes viraient toujours, mais la meule tournait à vide.

Les enfants revinrent tout en larmes, me conter ce qu'ils avaient vu. J'eus le cœur crevé de les entendre... Sans perdre une minute, je courus chez les voisins, je leur dis la chose en deux mots, et nous convînmes qu'il fallait, sur l'heure, porter au moulin Cornille tout ce qu'il y avait de froment dans les maisons... Sitôt dit, sitôt fait. Tout le village se met en route, et nous arrivons là-haut avec une procession
14 d'ânes chargés de blé, – du vrai blé, celui-là!

15 Le moulin était grand ouvert... Devant la porte,

dürfen, um mit dem Großvater zu sprechen ... Ich hatte nicht den Mut, nein zu sagen, und husch! schon war mein verliebtes Pärchen fort.

Als sie oben anlangten, war Meister Cornille gerade ausgegangen. Die Türe war zweimal verschlossen, aber der alte Knabe hatte, als er wegging, seine Leiter draußen gelassen, und den Kindern kam sofort der Gedanke, durch das Fenster einzusteigen und sich ein wenig umzusehen, was es denn in dieser berühmten Mühle gäbe ...

Eigenartig! die Mahlkammer war leer ... Kein einziger Sack Getreide, kein einziges Körnchen; nicht einmal ein Stäubchen Mehl, weder an den Wänden noch auf den Spinnweben ... Man roch nicht einmal jenen guten, warmen Duft von zermahlenem Weizen, der sonst die Mühlen erfüllt ... Die Flügelwelle war mit Staub bedeckt, und auf ihr schlief die große magere Katze.

Der Raum unten sah ebenso erbärmlich und vernachlässigt aus: – ein schlechtes Bett, ein paar Lumpen, ein Stück Brot auf einer Treppenstufe, und in einem Winkel dann noch drei oder vier geplatzte Säcke, aus denen Schutt und weiße Erde quollen.

Das also war Meister Cornilles Geheimnis! Und diesen Gipsschutt fuhr er abends auf den Landstraßen spazieren, um die Ehre der Mühle zu retten und vorzutäuschen, hier werde Mehl gemahlen ... Arme Mühle! Armer Cornille! Seit langem hatten die Dampfmühlenbesitzer ihnen die letzte Kundschaft weggeschnappt. Die Flügel drehten sich noch immer, aber der Mühlstein ging leer.

Die Kinder kamen in Tränen aufgelöst zurück und erzählten mir, was sie gesehen hatten. Mir blutete bei ihrem Bericht das Herz. Ohne eine Minute zu verlieren, lief ich zu den Nachbarn, schilderte ihnen kurz den Stand der Dinge, und wir kamen überein, sofort alles, was an Getreide in den Häusern war, zu Meister Cornille zu schaffen ... Gesagt, getan. Das ganze Dorf macht sich auf den Weg, und wir kommen dort oben mit einer Prozession von Eseln an, alle mit Korn beladen, – richtigem Korn diesmal!

Die Mühle stand weit offen ... Vor der Tür saß Meister

maître Cornille, assis sur un sac de plâtre, pleurait, la tête dans ses mains. Il venait de s'apercevoir, en rentrant, que pendant son absence on avait pénétré chez lui et surpris son triste secret.

– Pauvre de moi ! disait-il. Maintenant, je n'ai plus qu'à mourir... Le moulin est déshonoré.

Et il sanglotait à fendre l'âme, appelant son moulin par toutes sortes de noms, lui parlant comme à une personne véritable.

A ce moment, les ânes arrivent sur la plate-forme, et nous nous mettons tous à crier bien fort comme au beau temps des meuniers :

– Ohé ! du moulin !... Ohé ! maître Cornille !

Et voilà les sacs qui s'entassent devant la porte et le beau grain roux qui se répand par terre, de tous côtés...

Maître Cornille ouvrait de grands yeux. Il avait pris du blé dans le creux de sa vieille main et il disait, riant et pleurant à la fois :

– C'est du blé !... Seigneur Dieu !... Du bon blé !... Laissez-moi, que je le regarde.

Puis, se tournant vers nous :

– Ah ! je savais bien que vous me reviendriez... Tous ces minotiers sont des voleurs.

Nous voulions l'emporter en triomphe au village :

– Non, non, mes enfants ; il faut avant tout que j'aille donner à manger à mon moulin... Pensez donc ! il y a si longtemps qu'il ne s'est rien mis sous la dent !

Et nous avions tous des larmes dans les yeux de voir le pauvre vieux se démener de droite et de gauche, éventrant les sacs, surveillant la meule, tandis que le grain s'écrasait et que la fine poussière de froment s'envolait au plafond.

C'est une justice à nous rendre : à partir de ce jour-là, jamais nous ne laissâmes le vieux meunier manquer d'ouvrage. Puis, un matin, maître Cornille mou-
16 rut, et les ailes de notre dernier moulin cessèrent de
17 virer, pour toujours cette fois... Cornille mort, per-

Cornille auf einem Sack Gips und weinte, den Kopf in den Händen vergraben. Er hatte eben, als er heimkam, bemerkt, daß während seiner Abwesenheit jemand bei ihm eingestiegen war und sein trauriges Geheimnis entdeckt hatte.

«Ich Armer!» sagte er. «Jetzt bleibt mir nur noch der Tod... Die Mühle ist entehrt.»

Und er schluchzte herzzerreißend, gab seiner Mühle alle möglichen Namen und sprach mit ihr wie mit einem lebendigen Menschen.

In diesem Augenblick kommen die Esel auf dem Vorplatz an, und wir beginnen alle lauthals zu rufen, wie zur guten alten Zeit der Windmüller.

«Hallo! Mühle!... Hallo, Meister Cornille!»

Bald stapeln sich die Säcke vor der Türe, und das schöne rotgoldene Korn rieselt nach allen Seiten über den Boden hin...

Meister Cornille machte große Augen. Er hatte etwas Korn in seine hohle alte Hand genommen und sagte, lachend und weinend zugleich:

«Das ist ja Korn!... Herr Gott!... Gutes Korn!... Laßt mich, ich muß es mir ansehen.»

Dann, zu uns gewandt:

«Ach! ich wußte doch, daß Ihr wieder zu mir kommen würdet... Alle diese Dampfmüller sind ja Diebe.»

Wir wollten ihn im Triumphzug ins Dorf tragen:

«Nein, nein, Kinder; ich muß meiner Mühle vor allem einmal Futter geben... Bedenkt doch, sie hat schon so lange nichts mehr zu beißen gehabt!»

Und wir alle hatten Tränen in den Augen, als wir den armen Alten bald hierhin, bald dorthin rennen sahen, Säcke aufschlitzend, den Mühlstein überwachend, während das Korn zerrieben wurde und der feine Getreidestaub zur Decke flog.

Eines muß man uns lassen: Von jenem Tag an sorgten wir dafür, daß es dem alten Müller nie an Arbeit fehlte. Dann starb Meister Cornille eines Morgens, und die Flügel unserer letzten Mühle hörten auf, sich zu drehen, diesmal für immer... Es gab für den verstorbenen Cornille keinen Nachfolger. Das ist

sonne ne prit sa suite. Que voulez-vous, monsieur! . . . tout a une fin en ce monde, et il faut croire que le temps des moulins à vent était passé comme celui des coches sur le Rhône, des parlements et des jaquettes à grandes fleurs.

nun einmal nicht anders, mein Herr... Alles auf dieser Welt hat ein Ende, und man muß glauben, daß die Zeit der Windmühlen ebenso vorbei war wie die der Treidelschiffe auf der Rhone, der Königlichen Kammergerichte und der großgeblümten, langen Herrenröcke.

La chèvre de M. Seguin

Tu seras bien toujours le même, mon pauvre Gringoire!

Comment! on t'offre une place de chroniqueur dans un bon journal de Paris, et tu as l'aplomb de refuser... Mais regarde-toi, malheureux garçon! Regarde ce pourpoint troué, ces chausses en déroute, cette face maigre qui crie la faim. Voilà pourtant où t'a conduit la passion des belles rimes! Voilà ce que t'ont valu dix ans de loyaux services dans les pages du sire Apollo... Est-ce que tu n'as pas honte, à la fin?

Fais-toi donc chroniqueur, imbécile! fais-toi chroniqueur! Tu gagneras de beaux écus à la rose, tu auras ton couvert chez Brébant, et tu pourras te montrer les jours de première avec une plume neuve à ta barrette...

Non? Tu ne veux pas?... Tu prétends rester libre à ta guise jusqu'au bout... Eh bien, écoute un peu l'histoire de la *chèvre de M. Seguin.* Tu verras ce que l'on gagne à vouloir vivre libre.

M. Seguin n'avait jamais eu de bonheur avec ses chèvres.

Il les perdait toutes de la même façon: un beau matin, elles cassaient leur corde, s'en allaient dans la montagne, et là-haut le loup les mangeait. Ni les caresses de leur maître, ni la peur du loup, rien ne les retenait. C'était, paraît-il, des chèvres indépendantes, voulant à tout prix le grand air et la liberté.

Le brave M. Seguin, qui ne comprenait rien au caractère de ses bêtes, était consterné. Il disait:

– C'est fini; les chèvres s'ennuient chez moi, je n'en garderai pas une.

Cependant il ne se découragea pas, et, après avoir perdu six chèvres de la même manière, il en acheta

Die Ziege des Herrn Seguin

Du wirst wohl immer derselbe bleiben, mein armer Gringoire!

Da bietet man Dir eine Stelle als Berichterstatter bei einer guten Pariser Zeitung an, und Du hast die Stirn, abzulehnen... Aber schau Dich nur an, Unglücklicher! Betrachte Dir dieses durchlöcherte Wams, diese zerschlissene Hose, dieses magere Gesicht, aus dem der Hunger schreit! Da siehst Du doch, wohin Dich Deine Leidenschaft für die schönen Verse gebracht hat! Da siehst Du, was Dir zehn Jahre treuen Pagendienstes beim edlen Herrn Apoll eingetragen haben... Schämst Du Dich denn nicht endlich?

Werde doch Berichterstatter, Du Einfaltspinsel! Werde Berichterstatter! Du wirst schöne Rosentaler verdienen, Du wirst Deinen Stammplatz bei Brébant haben und Dich an den Premierentagen mit einer neuen Feder am Hut zeigen können...

Nein? Du willst nicht?... Du gedenkst, nach Deinem Geschmack bis zuletzt frei zu bleiben... Na gut! Höre Dir mal die Geschichte von Herrn Seguins Ziege an. Du wirst sehen, was dabei herauskommt, wenn man ohne Zwang leben will.

Herr Seguin hatte mit seinen Ziegen nie Glück gehabt.

Er hat sie alle auf dieselbe Weise verloren: Eines schönen Morgens rissen sie ihren Strick ab, liefen in die Berge, und dort oben hat sie der Wolf gefressen. Weder die Zuwendung ihres Herrn noch die Angst vor dem Wolf, nichts hielt sie zurück. Es waren anscheinend Ziegen, die unabhängig sein wollten und die um jeden Preis die frische Luft und die Freiheit suchten.

Der gute Herr Seguin, der nichts vom Wesen seiner Tiere verstand, war bestürzt. Er sagte:

«Es ist aus; die Ziegen langweilen sich bei mir; ich werde keine einzige behalten.»

Indessen gab er nicht auf, und nachdem er sechs Ziegen auf die gleiche Weise verloren hatte, kaufte er sich eine siebte;

une septième; seulement, cette fois, il eut soin de la prendre toute jeune, pour qu'elle s'habituât mieux à demeurer chez lui.

Ah! Gringoire, qu'elle était jolie la petite chèvre de M. Seguin! qu'elle était jolie avec ses yeux doux, sa barbiche de sous-officier, ses sabots noirs et luisants, ses cornes zébrées et ses longs poils blancs qui lui faisaient une houppelande!

C'était presque aussi charmant que le cabri d'Esméralda, tu te rappelles, Gringoire? – et puis, docile, caressante, se laissant traire sans bouger, sans mettre son pied dans l'écuelle. Un amour de petite chèvre . . .

M. Seguin avait derrière sa maison un clos entouré d'aubépines. C'est là qu'il mit sa nouvelle pensionnaire. Il l'attacha à un pieu, au plus bel endroit du pré, en ayant soin de lui laisser beaucoup de corde, et de temps en temps il venait voir si elle était bien. La chèvre se trouvait très heureuse et broutait l'herbe de si bon cœur que M. Seguin était ravi.

– Enfin, pensait le pauvre homme, en voilà une qui ne s'ennuiera pas chez moi!

M. Seguin se trompait, sa chèvre s'ennuya.

Un jour, elle se dit en regardant la montagne:

– Comme on doit être bien là-haut! Quel plaisir de gambader dans la bruyère, sans cette maudite longe qui vous écorche le cou! . . . C'est bon pour l'âne ou pour le bœuf de brouter dans un clos! . . . Les chèvres, il leur faut du large.

A partir de ce moment, l'herbe du clos lui parut fade. L'ennui lui vint.

Elle maigrit, son lait se fit rare. C'était pitié de la voir tirer tout le jour sur sa longe, la tête tournée du côté de la montagne, la narine ouverte, en faisant *Mê!* . . . tristement.

22 M. Seguin s'apercevait bien que sa chèvre avait
23 quelque chose, mais il ne savait pas ce que c'était . . .

allerdings achtete er dieses Mal darauf, sie ganz jung zu bekommen, damit sie sich besser daran gewöhne, bei ihm zu bleiben.

Ach, Gringoire! Wie niedlich war sie, die kleine Ziege des Herrn Seguin! Wie hübsch war sie mit ihren sanften Augen, ihrem Kinnbärtchen, wie man es von Unteroffizieren her kennt, ihren schwarzen, blanken Hufen, ihren gestreiften Hörnern und ihrem langen weißen Fell, das einen weiten Mantel um sie bildete! Sie war fast ebenso reizend wie Esmeraldas Zicklein, erinnerst Du Dich, Gringoire? – und außerdem gelehrig, zärtlich; sie ließ sich melken, ohne sich zu rühren, ohne mit dem Fuß in den Napf zu treten. Ein allerliebstes Geißlein . . .

Herr Seguin hatte hinter seinem Haus einen von Weißdornsträuchern eingefriedeten Weideplatz. Dort brachte er seinen neuen Pensionsgast unter. Er band das Tier am schönsten Fleck der Wiese an einen Pflock, achtete darauf, daß es viel Leine hatte und kam von Zeit zu Zeit, um nachzusehen, ob es ihm gut gehe. Die Ziege fühlte sich sehr glücklich und fraß das Gras mit so großem Vergnügen, daß Herr Seguin entzückt war.

«Endlich eine,» dachte der Arme, «der es bei mir nicht zu langweilig wird!»

Herr Seguin täuschte sich, seiner Ziege wurde es langweilig.

Eines Tages, als sie die Berge betrachtete, sagte sie sich:

«Wie wohl muß man sich dort oben fühlen! Welch Vergnügen, in der Heide herumzuspringen, ohne diesen verdammten Strick, der einem den Hals wundscheuert! . . . Auf einer eingehegten Weide zu grasen, das ist gut für Esel oder Ochsen! . . . Aber die Ziegen brauchen doch Auslauf.»

Von diesem Augenblick an erschien ihr das Gras der Wiese fad. Langeweile stellte sich ein. Sie magerte ab, ihre Milch wurde knapp. Es war ein Jammer zu sehen, wie sie den ganzen Tag an ihrem Strick zerrte, den Kopf den Bergen zugewandt, die Nüstern gebläht, und wie sie dabei traurig «mäh, mäh!» schrie.

Herr Seguin merkte wohl, daß seiner Ziege etwas fehlte, aber er wußte nicht was . . . Eines Morgens, als er sie gerade

Un matin, comme il achevait de la traire, la chèvre se retourna et lui dit dans son patois:

– Écoutez, monsieur Seguin, je me languis chez vous, laissez-moi aller dans la montagne.

– Ah! mon Dieu!... Elle aussi! cria M. Seguin stupéfait, et du coup il laissa tomber son écuelle; puis, s'asseyant dans l'herbe à côté de sa chèvre:

– Comment Blanquette, tu veux me quitter?

Et Blanquette répondit:

– Oui, monsieur Seguin.

– Est-ce que l'herbe te manque ici?

– Oh! non! monsieur Seguin.

– Tu es peut-être attachée de trop court; veux-tu que j'allonge la corde?

– Ce n'est pas la peine, monsieur Seguin.

– Alors, qu'est-ce qu'il te faut? qu'est-ce que tu veux?

– Je veux aller dans la montagne, monsieur Seguin.

– Mais, malheureuse, tu ne sais pas qu'il y a le loup dans la montagne... Que feras-tu quand il viendra?...

– Je lui donnerai des coups de corne, monsieur Seguin.

– Le loup se moque bien de tes cornes. Il m'a mangé des biques autrement encornées que toi... Tu sais bien, la pauvre vieille Renaude qui était ici l'an dernier? une maîtresse chèvre, forte et méchante comme un bouc. Elle s'est battue avec le loup toute la nuit... puis, le matin, le loup l'a mangée.

– Pécaïre! Pauvre Renaude!... Ça ne fait rien, monsieur Seguin, laissez-moi aller dans la montagne.

– Bonté divine!... dit M. Seguin; mais qu'est-ce qu'on leur fait donc à mes chèvres? Encore une que le loup va me manger... Eh bien, non... je te sauverai malgré toi, coquine! et de peur que tu ne rompes ta corde, je vais t'enfermer dans l'étable, et tu y resteras toujours.

Là-dessus, M. Seguin emporta la chèvre dans une

gemolken hatte, drehte sich die Geiß um und sagte in ihrer Ziegensprache:

«Hören Sie, Herr Seguin, ich gehe bei Ihnen allmählich ein; lassen Sie mich in die Berge ziehen.»

«Ach, mein Gott! ... Auch sie!» rief Herr Seguin verblüfft und ließ gleich sein Melkgeschirr fallen; dann setzte er sich neben seine Ziege ins Gras:

«Wie, Blanquette, du willst mich verlassen?»

Und Blanquette antwortete:

«Ja, Herr Seguin.»

«Fehlt es dir hier an Gras?»

«Oh nein, Herr Seguin.»

«Deine Leine ist vielleicht zu kurz; willst du, daß ich den Strick länger mache?»

«Das lohnt nicht, Herr Seguin.»

«Was ist es denn, was du brauchst? Was ist es denn, was du willst?»

«Ich will in die Berge, Herr Seguin.»

«Aber, Unglückselige, weißt du denn nicht, daß in den Bergen der Wolf haust? ... Was wirst du tun, wenn er kommt?»

«Ich werde ihm mit meinen Hörnern zusetzen, Herr Seguin.»

«Der Wolf macht sich über deine Hörner nur lustig. Er hat mir schon Geißen gefressen, die ganz andere Hörner hatten als du ... Du weißt doch, die arme alte Renaude, die im vergangenen Jahr hier war? Eine Prachtziege, kräftig und bösartig wie ein Bock. Die ganze Nacht hat sie mit dem Wolf gekämpft ... dann, am Morgen, hat der Wolf sie gefressen.»

«Ach Gott! Arme Renaude! ... Aber das macht nichts, Herr Seguin, lassen Sie mich in die Berge ziehen.»

«Du lieber Himmel!» sagte Herr Seguin, «was ist bloß mit meinen Ziegen los? Noch eine, die mir der Wolf fressen wird ... Aber nein ... ich werde dich gegen deinen Willen retten, du Racker! Und damit du mir den Strick nicht zerreißt, werde ich dich gleich in den Stall sperren, und dort bleibst du für immer.»

Daraufhin brachte Herr Seguin die Ziege in einen ganz

étable toute noire, dont il ferma la porte à double tour. Malheureusement, il avait oublié la fenêtre, et à peine eut-il le dos tourné, que la petite s'en alla . . .

Tu ris, Gringoire? Parbleu! je crois bien; tu es du parti des chèvres, toi, contre ce bon M. Seguin . . . Nous allons voir si tu riras tout à l'heure.

Quand la chèvre blanche arriva dans la montagne, ce fut un ravissement général. Jamais les vieux sapins n'avaient rien vu d'aussi joli. On la reçut comme une petite reine. Les châtaigniers se baissaient jusqu'à terre pour la caresser du bout de leurs branches. Les genêts d'or s'ouvraient sur son passage, et sentaient bon tant qu'ils pouvaient. Toute la montagne lui fit fête.

Tu penses, Gringoire, si notre chèvre était heureuse! Plus de corde, plus de pieu . . . rien qui l'empêchât de gambader, de brouter à sa guise . . . C'est là qu'il y en avait de l'herbe! jusque par-dessus les cornes, mon cher! . . . Et quelle herbe! Savoureuse, fine, dentelée, faite de mille plantes . . . C'était bien autre chose que le gazon du clos. Et les fleurs donc! . . . De grandes campanules bleues, des digitales de pourpre à longs calices, toute une forêt de fleurs sauvages débordant de sucs capiteux! . . .

La chèvre blanche, à moitié soûle, se vautrait là-dedans les jambes en l'air et roulait le long des talus, pêle-mêle avec les feuilles tombées et les châtaignes . . . Puis, tout à coup, elle se redressait d'un bond sur ses pattes. Hop! la voilà partie, la tête en avant, à travers les maquis et les buissières, tantôt sur un pic, tantôt au fond d'un ravin, là-haut, en bas, partout . . . On aurait dit qu'il y avait dix chèvres de M. Seguin dans la montagne.

C'est qu'elle n'avait peur de rien, la Blanquette.

Elle franchissait d'un saut de grands torrents qui l'éclaboussaient au passage de poussière humide et
26 d'écume. Alors, toute ruisselante, elle allait s'étendre
27 sur quelque roche plate et se faisait sécher par le

dunklen Stall, dessen Tür er zweimal abschloß. Leider hatte er nicht ans Fenster gedacht, und kaum hatte er den Rücken gekehrt, lief die Kleine weg...

Du lachst, Gringoire? Bei Gott, ich glaube gar, Du stehst auf der Seite der Ziegen, Du, gegen diesen guten Herrn Seguin... Wir werden ja sehen, ob Du in Kürze auch noch lachst.

Als die weiße Ziege in den Bergen ankam, gab es ein allgemeines Entzücken. Nie hatten die alten Tannen so etwas Hübsches gesehen. Wie eine kleine Königin wurde sie empfangen. Die Kastanienbäume neigten sich bis zur Erde, um sie mit den Spitzen ihrer Zweige zu streicheln. Wo sie vorbeikam, gingen die goldgelben Ginstersträuche auf und dufteten, so kräftig sie konnten. Von der ganzen Bergwelt wurde sie freudig willkommen geheißen.

Du kannst Dir denken, Gringoire, wie glücklich unsere Ziege war. Kein Strick, kein Pflock mehr... Nichts, was sie hinderte, herumzuhüpfen und zu weiden, wo es ihr gefiel... Und Gras gab es da, mein Lieber, bis über die Hörner reichend... Und was für Gras! Schmackhaft, zart, gezackt, aus tausend Pflanzen zusammengesetzt... Das war etwas ganz andres als der Rasen im Gehege. Und erst die Blumen!... Große, blaue Glockenblumen, purpurner Fingerhut mit langen Kelchen, ein ganzer Wald wilder Blüten, die von berauschenden Säften strotzten!...

Halb trunken wälzte sich die weiße Ziege darin, die Beine in der Luft, und rollte die Abhänge hinunter, durch Laub und Kastanien... Dann war sie mit einem Sprung plötzlich wieder auf den Beinen.

Husch! und weg war sie, Kopf voran, durch Gestrüpp und Gesträuch, bald auf einer Bergspitze, bald am Grund einer Schlucht, hinauf, hinunter, überallhin... Man hätte meinen können, es seien zehn Ziegen von Herrn Seguin in den Bergen.

Sie hatte nämlich vor nichts Angst, die Blanquette.

Mit einem Satz sprang sie über breite Wildbäche, die sie dabei mit Schaum und feuchtem Flugsand bespritzten. Dann streckte sie sich patschnaß auf eine Felsplatte und ließ sich von der Sonne trocknen... Als sie sich einmal, eine Goldregen-

soleil... Une fois, s'avançant au bord d'un plateau, une fleur de cytise aux dents, elle aperçut en bas, tout en bas dans la plaine, la maison de M. Seguin avec le clos derrière. Cela la fit rire aux larmes.

– Que c'est petit ! dit-elle ; comment ai-je pu tenir là-dedans ?

Pauvrette ! de se voir si haut perchée, elle se croyait au moins aussi grande que le monde...

En somme, ce fut une bonne journée pour la chèvre de M. Seguin. Vers le milieu du jour, en courant de droite et de gauche, elle tomba dans une troupe de chamois en train de croquer une lambrusque à belles dents. Notre petite coureuse en robe blanche fit sensation. On lui donna la meilleure place à la lambrusque, et tous ces messieurs furent très galants... Il paraît même, – ceci doit rester entre nous, Gringoire, – qu'un jeune chamois à pelage noir, eut la bonne fortune de plaire à Blanquette. Les deux amoureux s'égarèrent parmi le bois une heure ou deux, et si tu veux savoir ce qu'ils se dirent, va le demander aux sources bavardes qui courent invisibles dans la mousse.

Tout à coup le vent fraîchit. La montagne devint violette ; c'était le soir...

– Déjà ! dit la petite chèvre ; et elle s'arrêta fort étonnée.

En bas, les champs étaient noyés de brume. Le clos de M. Seguin disparaissait dans le brouillard, et de la maisonnette on ne voyait plus que le toit avec un peu de fumée. Elle écouta les clochettes d'un troupeau qu'on ramenait, et se sentit l'âme toute triste... Un gerfaut, qui rentrait, la frôla de ses ailes en passant. Elle tressaillit... puis ce fut un hurlement dans la montagne :

– Hou ! hou !

Elle pensa au loup ; de tout le jour la folle n'y avait pas pensé... Au même moment une trompe sonna
28 bien loin dans la vallée. C'était ce bon M. Seguin qui
29 tentait un dernier effort.

blüte zwischen den Zähnen, dem Rand einer Hochfläche näherte, bemerkte sie unten, ganz unten in der Ebene, Herrn Seguins Haus mit dem eingefriedeten Weideplatz dahinter. Da mußte sie Tränen lachen.

«Wie klein das ist!» sagte sie, «wie habe ich es dort drinnen bloß aushalten können?»

Die Ärmste! Jetzt, wo sie sich so hoch oben befand, hielt sie sich für mindestens ebenso wichtig wie die Welt...

Alles in allem war es ein guter Tag für Herrn Seguins Ziege. Gegen Mittag, während sie hierhin und dorthin lief, geriet sie in ein Rudel Gemsen, die gerade einen wilden Weinstock gründlich abknabberten. Unsere kleine Herumtreiberin in weißem Kleid erregte großes Aufsehen. Man überließ ihr den besten Platz am Weinstock, und alle diese Herren waren sehr liebenswürdig... Anscheinend, – das muß aber unter uns bleiben, Gringoire, – hatte ein junger Gamsbock mit schwarzem Fell sogar das Glück, Blanquette zu gefallen. Die beiden Verliebten trieben sich eine Stunde oder zwei im Wald herum, und willst Du wissen, was sie sich gesagt haben, so frage die schwatzhaften Quellen, die unsichtbar im Moos fließen.

Plötzlich frischte der Wind auf. Das Gebirge färbte sich violett; es war Abend...

«Schon!» sagte die kleine Ziege und blieb sehr erstaunt stehen.

Unten waren die Felder im Nebel versunken. Herrn Seguins Weide verschwand im Dunst, und vom Häuschen sah man nur noch das Dach mit ein wenig Rauch. Blanquette lauschte dem Schellengeläut einer Herde, die heimgetrieben wurde, und es wurde ihr ganz traurig ums Herz. Ein zu seinem Horst zurückkehrender Geierfalke streifte sie im Vorbeifliegen mit seinen Schwingen. Sie schauderte... dann kam von den Bergen ein Heulen:

«Huu! Huu!»

Sie dachte an den Wolf; den ganzen Tag lang hatte die Törin nicht an ihn gedacht... Im gleichen Augenblick blies ein Horn in weiter Ferne im Tal. Das war dieser gute Herr Seguin, der einen letzten Versuch machte.

– Hou ! hou ! . . . faisait le loup.

– Reviens ! reviens ! . . . criait la trompe.

Blanquette eut envie de revenir; mais en se rappelant le pieu, la corde, la haie du clos, elle pensa que maintenant elle ne pouvait plus se faire à cette vie, et qu'il valait mieux rester.

La trompe ne sonnait plus . . .

La chèvre entendit derrière elle un bruit de feuilles. Elle se retourna et vit dans l'ombre deux oreilles courtes, toutes droites, avec deux yeux qui reluisaient . . . C'était le loup.

Énorme, immobile, assis sur son train de derrière, il était là regardant la petite chèvre blanche et la dégustant par avance. Comme il savait bien qu'il la mangerait, le loup ne se pressait pas; seulement, quand elle se retourna, il se mit à rire méchamment.

– Ha ! ha ! la petite chèvre de M. Seguin ! et il passa sa grosse langue rouge sur ses babines d'amadou.

Blanquette se sentit perdue . . . Un moment, en se rappelant l'histoire de la vieille Renaude, qui s'était battue toute la nuit pour être mangée le matin, elle se dit qu'il vaudrait peut-être mieux se laisser manger tout de suite; puis s'étant ravisée, elle tomba en garde, la tête basse et la corne en avant, comme une brave chèvre de M. Seguin qu'elle était . . . Non pas qu'elle eût l'espoir de tuer le loup, – les chèvres ne tuent pas le loup, – mais seulement pour voir si elle pourrait tenir aussi longtemps que la Renaude . . .

Alors le monstre s'avança, et les petites cornes entrèrent en danse.

Ah ! la brave chevrette, comme elle y allait de bon cœur ! Plus de dix fois, je ne mens pas, Gringoire, elle força le loup à reculer pour reprendre haleine. Pendant ces trêves d'une minute, la gourmande cueillait
30 en hâte encore un brin de sa chère herbe; puis elle
31 retournait au combat, la bouche pleine . . . Cela dura

«Huu! Huu!...» heulte der Wolf.

«Kehr zurück! Kehr zurück!...» rief das Horn.

Blanquette bekam Lust, heimzulaufen; doch wenn sie sich an den Pflock, den Strick, an die Hecke ums Gehege erinnerte, meinte sie, sie könnte sich nicht mehr an dieses Leben gewöhnen und es sei besser zu bleiben.

Das Horn verstummte.

Die Ziege hörte hinter sich Blätter rascheln. Sie drehte sich um und sah im Dunkeln zwei kurze, spitz aufgerichtete Ohren sowie ein glänzendes Augenpaar... Das war der Wolf.

Riesenhaft und unbewegt saß er da auf seiner Hinterhand, betrachtete das weiße Geißlein und genoß es im voraus. Da er sehr wohl wußte, daß er es fressen würde, hatte es der Wolf nicht eilig; bloß wenn es sich umdrehte, fing er hämisch zu lachen an.

«Ha! Ha! Die kleine Ziege des Herrn Seguin!» und er leckte mit seiner großen, roten Zunge über die Genießerlefzen.

Blanquette spürte, daß sie verloren war... Einen Augenblick lang, als ihr die Geschichte von der alten Renaude einfiel, die die ganze Nacht gekämpft hatte und am Morgen doch gefressen wurde, sagte sie sich, es sei vielleicht besser, sich sofort fressen zu lassen; dann, nachdem sie es sich anders überlegt hatte, ging sie in Abwehrstellung, den Kopf gesenkt und die Hörner nach vorne gerichtet, als tapfere Ziege von Herrn Seguin, die sie ja war... Nicht daß sie gehofft hätte, den Wolf zu töten, – Ziegen töten keinen Wolf, – sondern nur, um zu sehen, ob sie es ebenso lang durchhalten könnte wie die Renaude...

Nun näherte sich das Ungeheuer, und die kleinen Hörner begannen ihren Tanz.

Ach, die tapfere Kleine! Wie mutig sie drauflosging! Mehr als zehnmal – Gringoire, ich lüge nicht – zwang sie den Wolf zum Rückzug und Atemholen. Während dieser Kampfpausen von einer Minute pflückte die Genießerin schnell noch ein Hälmchen ihres Lieblingsgrases, dann nahm sie mit vollem Maul die Auseinandersetzung von neuem auf... So ging es

toute la nuit. De temps en temps la chèvre de M. Seguin regardait les étoiles danser dans le ciel clair, et elle se disait :

– Oh ! pourvu que je tienne jusqu'à l'aube...

L'une après l'autre, les étoiles s'éteignirent. Blanquette redoubla de coups de cornes, le loup de coups de dents... Une lueur pâle parut dans l'horizon... Le chant d'un coq enroué monta d'une métairie.

– Enfin ! dit la pauvre bête, qui n'attendait plus que le jour pour mourir ; et elle s'allongea par terre dans sa belle fourrure blanche toute tachée de sang...

Alors le loup se jeta sur la petite chèvre et la mangea.

Adieu, Gringoire !

L'histoire que tu as entendue n'est pas un conte de mon invention. Si jamais tu viens en Provence, nos ménagers te parleront souvent de la *cabro de moussu Seguin, que se battégué touto la neui emé lou loup, e piei lou matin lou loup la mangé**.

Tu m'entends bien, Gringoire :

E piei lou matin lou loup la mangé.

* La chèvre de monsieur Seguin, qui se battit toute la nuit avec le loup, et puis, le matin, le loup la mangea.

die ganze Nacht. Von Zeit zu Zeit betrachtete die Ziege von Herrn Seguin die Sterne, die am klaren Himmel tanzten, und sie sagte sich:

«Oh! Wenn ich nur bis zum Morgen aushalte...»

Die Sterne erloschen, einer nach dem andern. Blanquette verdoppelte ihre Stöße mit den Hörnern, der Wolf die Bisse... Ein blasser Schein zeigte sich am Horizont... Von einem Meierhof herauf drang das Krähen eines heiseren Gockels.

«Endlich!» sagte das arme Tier, das nur noch den Tagesanbruch abwartete, um zu sterben, und es streckte sich in seinem schönen, weißen, über und über mit Blut befleckten Fell auf dem Boden aus...

Da stürzte sich der Wolf auf das Geißlein und fraß es auf.

Leb wohl, Gringoire!

Die Geschichte, die Du gehört hast, ist kein von mir erfundenes Märchen. Wenn Du jemals in die Provence kommst, werden Dir unsere Bauern oft erzählen von der *cabro de moussu Seguin, que se battégué touto la neui emé lou loup, e piei lou matin lou loup la mangé.**

Hörst Du, Gringoire:

E piei lou matin lou loup la mangé.

* Ziege des Herrn Seguin, die die ganze Nacht mit dem Wolf kämpfte, und dann, in der Frühe, vom Wolf gefressen wurde.

Les étoiles.
Récit d'un berger provençal

Du temps que je gardais les bêtes sur le Luberon, je restais des semaines entières sans voir âme qui vive, seul dans le pâturage avec mon chien Labri et mes ouailles. De temps en temps l'ermite du Mont-de-l'Ure passait par là pour chercher des simples ou bien j'apercevais la face noire de quelque charbonnier du Piémont; mais c'étaient des gens naïfs, silencieux à force de solitude, ayant perdu le goût de parler et ne sachant rien de ce qui se disait en bas dans les villages et les villes. Aussi, tous les quinze jours, lorsque j'entendais, sur le chemin qui monte, les sonnailles du mulet de notre ferme m'apportant les provisions de quinzaine, et que je voyais apparaître peu à peu, au-dessus de la côte, la tête éveillée du petit *miarro* (garçon de ferme), ou la coiffe rousse de la vieille tante Norade, j'étais vraiment bien heureux. Je me faisais raconter les nouvelles du pays d'en bas, les baptêmes, les mariages; mais ce qui m'intéressait surtout, c'était de savoir ce que devenait la fille de mes maîtres, notre demoiselle Stéphanette, la plus jolie qu'il y eût à dix lieues à la ronde. Sans avoir l'air d'y prendre trop d'intérêt, je m'informais si elle allait beaucoup aux fêtes, aux veillées, s'il lui venait toujours de nouveaux galants; et à ceux qui me demanderont ce que ces choses-là pouvaient me faire, à moi pauvre berger de la montagne, je répondrai que j'avais vingt ans et que cette Stéphanette était ce que j'avais vu de plus beau dans ma vie.

Or, un dimanche que j'attendais les vivres de quinzaine, il se trouva qu'ils n'arrivèrent que très tard. Le matin je me disais: «C'est la faute de la grand'messe;» puis, vers midi, il vint un gros orage, et je pensai que la mule n'avait pas pu se mettre en route à cause du mauvais état des chemins. Enfin, sur

Die Sterne.
Erzählung eines provenzalischen Schäfers

Als ich auf den Bergen des Luberon das Vieh hütete, blieb ich wochenlang mit meinem Hund Labri und meiner Schafherde allein auf der Weide, ohne eine Menschenseele zu sehen. Hin und wieder kam der Einsiedler vom Mont-de-l 'Ure vorbei, um Heilkräuter zu sammeln, oder aber ich erblickte das schwarze Gesicht eines piemontesischen Köhlers; doch das waren einfältige Leute, schweigsam vor lauter Einsamkeit. Sie hatten die Lust am Reden verloren und wußten nichts von dem, was man sich unten in den Dörfern und Städten erzählte. Ich war daher wirklich sehr glücklich, wenn ich alle vierzehn Tage auf dem bergan führenden Weg das Schellengeläut des Maulesels von unserem Hof hörte, der mir die Vorräte für zwei Wochen brachte, und wenn ich nach und nach über dem Hang den schlauen Kopf des Kleinknechts oder die fuchsrote Haube der alten Tante Norade auftauchen sah. Ich ließ mir die Neuigkeiten aus dem Dorf unten erzählen, die Taufen, die Hochzeiten; vor allem aber wollte ich wissen, was aus der Tochter meiner Herrschaft wurde, unserem Fräulein Stéphanette, dem hübschesten Mädchen im Umkreis von zehn Meilen.

Ohne den Anschein zu erwecken, allzuviel erfahren zu wollen, erkundigte ich mich, ob sie oft zu Festlichkeiten gehe, zu gemeinsamen Abenden, ob sich immer neue Verehrer bei ihr einfänden; und denen, die mich fragen, was mich, den armen Bergschäfer, all das angehen mochte, werde ich antworten, daß für mich mit meinen zwanzig Jahren diese Stéphanette das Schönste war, was ich in meinem Leben gesehen hatte.

Als ich nun eines Sonntags auf die Vierzehntagesverpflegung wartete, geschah es, daß sie erst sehr spät eintraf. Vormittags sagte ich mir: «Das liegt am Hochamt»; gegen Mittag kam dann ein starkes Gewitter auf, und ich dachte, das Maultier habe wegen des schlechten Zustands der Wege nicht gehen können. Schließlich, gegen drei Uhr, nachdem

les trois heures, le ciel étant lavé, la montagne luisante d'eau et de soleil, j'entendis parmi l'égouttement des feuilles et le débordement des ruisseaux gonflés les sonnailles de la mule, aussi gaies, aussi alertes qu'un grand carillon de cloches un jour de Pâques. Mais ce n'était pas le petit *miarro*, ni la vieille Norade qui la conduisait. C'était... devinez qui!... notre demoiselle, mes enfants! notre demoiselle en personne, assise droite entre les sacs d'osier, toute rose de l'air des montagnes et du rafraîchissement de l'orage.

Le petit était malade, tante Norade en vacances chez ses enfants. La belle Stéphanette m'apprit tout ça, en descendant de sa mule, et aussi qu'elle arrivait tard parce qu'elle s'était perdue en route; mais à la voir si bien endimanchée, avec son ruban à fleurs, sa jupe brillante et ses dentelles, elle avait plutôt l'air de s'être attardée à quelque danse que d'avoir cherché son chemin dans les buissons. O la mignonne créature! Mes yeux ne pouvaient se lasser de la regarder. Il est vrai que je ne l'avais jamais vue de si près. Quelquefois l'hiver, quand les troupeaux étaient descendus dans la plaine et que je rentrais le soir à la ferme pour souper, elle traversait la salle vivement, sans guère parler aux serviteurs, toujours parée et un peu fière... Et maintenant je l'avais là devant moi, rien que pour moi; n'était-ce pas à en perdre la tête?

Quand elle eut tiré les provisions du panier, Stéphanette se mit à regarder curieusement autour d'elle. Relevant un peu sa belle jupe du dimanche qui aurait pu s'abîmer, elle entra dans le *parc*, voulut voir le coin où je couchais, la crèche de paille avec la peau de mouton, ma grande cape accrochée au mur, ma crosse, mon fusil à pierre. Tout cela l'amusait.

– Alors c'est ici que tu vis, mon pauvre berger? Comme tu dois t'ennuyer d'être toujours seul!
36 Qu'est-ce que tu fais? A quoi penses-tu?...
37 J'avais envie de répondre: «A vous, maîtresse,» et

der Himmel reingewaschen war und der Berg von Wasser und Sonne glänzte, hörte ich zwischen dem abtropfenden Laub und dem Rauschen der angeschwollenen Bäche die Schellen des Maultieres, fröhlich und lebhaft wie mächtiges Glockengeläut an einem Ostertag.

Aber geführt wurde der Maulesel weder vom Kleinknecht noch von der alten Norade. Ratet mal von wem!... Von unserem Fräulein. Unser Fräulein selbst, ihr Lieben, saß kerzengerade zwischen den Weidenkörben, ganz rosig von der Bergluft und der Abkühlung nach dem Gewitter.

Der Junge war krank, Tante Norade bei ihren Kindern in Ferien. Das alles erfuhr ich von der schönen Stéphanette, während sie vom Maultier stieg, auch, daß sie so spät kam, weil sie sich unterwegs verirrt hatte; wenn man sie aber so im Sonntagsstaat sah, mit dem geblümten Band, dem glänzenden Rock und den Spitzen, schien sie sich eher bei irgendeinem Tanz verspätet, als durch das Gebüsch ihren Weg gesucht zu haben. Oh, das allerliebste Geschöpf! Meine Augen konnten sich an ihr nicht sattsehen. Es stimmt, daß ich sie noch nie aus solcher Nähe erblickt hatte. Im Winter, wenn die Herden in die Ebene heruntergekommen waren und ich abends auf den Hof zum Essen kam, ging sie manchmal beschwingt durch die Gesindestube, kaum je mit den Dienstboten redend, stets herausgeputzt und ein wenig hochmütig... Und jetzt hatte ich sie vor mir, allein für mich; mußte man da nicht den Kopf verlieren?

Als sie die Vorräte aus dem Korb geholt hatte, begann Stéphanette, neugierig um sich zu blicken. Sie hob ein wenig ihren schönen Sonntagsrock an, der schmutzig hätte werden können, ging in den Pferch, wollte die Ecke sehen, wo ich schlief, das Strohlager mit dem Schaffell, meinen weiten Umhang, der an der Wand hing, meinen Krummstab, meine Steinschloßflinte. Das alles machte ihr Spaß.

«Hier lebst du also, mein armer Schäfer? Wie mußt du dich langweilen, wenn du immer allein bist! Was treibst du? Woran denkst du?...»

Ich hatte Lust zu antworten: «An Euch, meine Herrin,» und

je n'aurais pas menti ; mais mon trouble était si grand que je ne pouvais pas seulement trouver une parole. Je crois bïen qu'elle s'en apercevait, et que la méchante prenait plaisir à redoubler mon embarras avec ses malices :

– Et ta bonne amie, berger, est-ce qu'elle monte te voir quelquefois ? . . . Ça doit être bien sûr la chèvre d'or, ou cette fée Estérelle qui ne court qu'à la pointe des montagnes . . .

Et elle-même, en me parlant, avait bien l'air de la fée Estérelle, avec le joli rire de sa tête renversée et sa hâte de s'en aller qui faisait de sa visite une apparition.

– Adieu, berger.

– Salut, maîtresse.

Et la voilà partie, emportant ses corbeilles vides.

Lorsqu'elle disparut dans le sentier en pente, il me semblait que les cailloux, roulant sous les sabots de la mule, me tombaient un à un sur le cœur. Je les entendis longtemps, longtemps ; et jusqu'à la fin du jour je restai comme ensommeillé, n'osant bouger, de peur de faire en aller mon rêve. Vers le soir, comme le fond des vallées commençait à devenir bleu et que les bêtes se serraient en bêlant l'une contre l'autre pour rentrer au *parc*, j'entendis qu'on m'appelait dans la descente, et je vis paraître notre demoiselle, non plus rieuse ainsi que tout à l'heure, mais tremblante de froid, de peur, de mouillure. Il paraît qu'au bas de la côte elle avait trouvé la Sorgue grossie par la pluie d'orage, et qu'en voulant passer à toute force elle avait risqué de se noyer. Le terrible, c'est qu'à cette heure de nuit il ne fallait plus songer à retourner à la ferme ; car le chemin par la traverse, notre demoiselle n'aurait jamais su s'y retrouver toute seule, et moi je ne pouvais pas quitter le troupeau. Cette idée de passer la nuit sur la montagne la tourmentait beaucoup, surtout à cause de l'inquiétude des siens. Moi, je la rassurais de mon mieux :

damit hätte ich nicht gelogen; aber meine Verwirrung war so groß, daß mir kein einziges Wort einfiel. Ich glaube fest, daß sie es bemerkt hatte und daß die Boshafte sich ein Vergnügen daraus machte, meine Verlegenheit mit ihren Neckereien zu verdoppeln:

«Und deine Liebste, Schäfer, kommt sie denn manchmal zu dir herauf? ... Das muß doch ganz gewiß die goldene Geiß sein oder jene Fee Estérelle, die nur über die Bergspitzen läuft...»

Und wie sie mit mir plauderte, kam sie selbst mir wie die Fee Estérelle vor, mit dem anmutigen Lachen, bei dem sie den Kopf zurückwarf, und mit ihrer Eile, wieder fortzukommen, die ihren Besuch unwirklich werden ließ.

«Gott befohlen, Schäfer!»

«Grüß Gott, Herrin.»

Und weg war sie mit ihren leeren Körben.

Als sie auf dem abschüssigen Pfad verschwand, schienen die Kiesel, die unter den Hufen des Maultieres wegrollten, mir nacheinander aufs Herz zu fallen. Ich hörte sie unendlich lange; und bis der Tag sich neigte, blieb ich wie schlaftrunken und wagte mich nicht zu rühren, aus Angst, meinen Traum zu verscheuchen. Gegen Abend, als der Grund der Täler zu blauen begann und die Tiere sich blökend aneinanderdrängten, um in den Pferch zurückzukehren, hörte ich vom Abhang her nach mir rufen, und ich sah unser Fräulein auftauchen, nicht mehr lachend wie kurz zuvor, sondern schlotternd vor Kälte, Angst und Nässe.

Anscheinend hatte sie am Fuß des Berges die Sorgue vom Gewitterregen angeschwollen vorgefunden und wäre, als sie diese unbedingt überqueren wollte, beinahe ertrunken. Das Schreckliche war, daß zu so später Stunde an eine Rückkehr auf den Hof nicht zu denken war; denn auf dem Querweg hätte sich unser Fräulein alleine nie zurechtzufinden vermocht, und ich konnte ja die Herde nicht verlassen. Dieser Gedanke, die Nacht auf dem Berg verbringen zu müssen, quälte sie sehr, vor allem, weil ihre Angehörigen sich sorgten. Ich aber beruhigte sie, so gut ich konnte:

– En juillet, les nuits sont courtes, maîtresse . . . Ce n'est qu'un mauvais moment.

Et j'allumai vite un grand feu pour sécher ses pieds et sa robe toute trempée de l'eau de la Sorgue. Ensuite j'apportai devant elle du lait, des fromageons ; mais la pauvre petite ne songeait ni à se chauffer, ni à manger, et de voir les grosses larmes qui montaient dans ses yeux, j'avais envie de pleurer, moi aussi.

Cependant la nuit était venue tout à fait. Il ne restait plus sur la crête des montagnes qu'une poussière de soleil, une vapeur de lumière du côté du couchant. Je voulus que notre demoiselle entrât se reposer dans le *parc*. Ayant étendu sur la paille fraîche une belle peau toute neuve, je lui souhaitai la bonne nuit, et j'allai m'asseoir dehors devant la porte . . . Dieu m'est témoin que, malgré le feu d'amour qui me brûlait le sang, aucune mauvaise pensée ne me vint ; rien qu'une grande fierté de songer que dans un coin du *parc* tout près du troupeau curieux qui la regardait dormir, la fille de mes maîtres, – comme une brebis plus précieuse et plus blanche que toutes les autres, – reposait, confiée à ma garde. Jamais le ciel ne m'avait paru si profond, les étoiles si brillantes . . . Tout à coup, la claire-voie du *parc* s'ouvrit et la belle Stéphanette parut. Elle ne pouvait pas dormir. Les bêtes faisaient crier la paille en remuant, ou bêlaient dans leurs rêves. Elle aimait mieux venir près du feu. Voyant cela, je lui jetai ma peau de bique sur les épaules, j'activai la flamme, et nous restâmes assis l'un près de l'autre sans parler. Si vous avez jamais passé la nuit à la belle étoile, vous savez qu'à l'heure où nous dormons, un monde mystérieux s'éveille dans la solitude et le silence. Alors les sources chantent bien plus clair, les étangs allument des petites flammes. Tous les esprits de la montagne vont et viennent librement ; et il y a dans l'air des frôlements, des bruits imperceptibles, comme si l'on entendait les branches grandir, l'herbe pousser. Le jour, c'est la vie

«Im Juli sind die Nächte kurz, meine Herrin ... Das ist nicht mehr als ein unguter Augenblick.»

Und ich machte schnell ein großes Feuer, damit sie ihre Füße und ihr vom Wasser der Sorgue völlig durchnäßtes Kleid trocknen konnte. Dann brachte ich ihr Milch und Schafskäse; doch die arme Kleine dachte nicht daran, sich zu wärmen und zu essen, und als ich die dicken Tränen sah, die ihr in die Augen stiegen, hatte ich den Wunsch, mitzuweinen.

Unterdessen war es vollends Nacht geworden. Nur auf den Bergkämmen blieb eine Spur von Sonne und nach Westen zu ein matter Lichtschimmer. Ich wollte, daß unser Fräulein hereinkam, um im Pferch auszuruhen. Nachdem ich auf das frische Stroh ein schönes, ganz neues Fell gebreitet hatte, wünschte ich ihr eine gute Nacht und ging hinaus, um mich vor die Türe zu setzen...

Gott ist mein Zeuge, daß trotz der Liebesglut, die mich versengte, kein schlechter Gedanke in mir aufkam; nichts als ein großer Stolz, daß die Tochter meiner Herrschaft unter meiner Obhut, – wie ein Lämmlein, doch kostbarer und weißer als alle anderen, – in einem Winkel des Pferchs ausruhte, ganz nahe bei der neugierigen Herde, von der die Schlafende beäugt wurde. Nie waren mir der Himmel so finster und die Sterne so strahlend erschienen... Plötzlich ging das Gatter des Pferchs auf, und die schöne Stéphanette trat heraus. Sie konnte nicht schlafen. Wenn die Tiere sich bewegten, raschelte das Stroh, wenn sie träumten, blökten sie. Sie wollte lieber ans Feuer kommen. Als ich das merkte, warf ich ihr mein Schaffell über die Schultern, fachte das Feuer wieder an, und wortlos blieben wir nebeneinander sitzen. Wenn ihr jemals eine Nacht im Freien verbracht habt, wißt ihr, daß, während wir schlafen, eine geheimnisvolle Welt in der Einsamkeit und Stille zum Leben erwacht. Dann singen die Quellen viel lauter, die Teiche zünden Flämmchen an. Alle Berggeister kommen und gehen ungehindert, und in der Luft ist ein Knistern und Rascheln, unfaßbare Geräusche, als hörte man die Zweige wachsen und das Gras sprießen. Am Tag sind die Geschöpfe lebendig; aber in der Nacht leben die Dinge.

des êtres; mais la nuit, c'est la vie des choses. Quand on n'en a pas l'habitude, ça fait peur... Aussi notre demoiselle était toute frissonnante et se serrait contre moi au moindre bruit. Une fois, un cri long, mélancolique, parti de l'étang qui luisait plus bas, monta vers nous en ondulant. Au même instant une belle étoile filante glissa par-dessus nos têtes dans la même direction, comme si cette plainte que nous venions d'entendre portait une lumière avec elle.

– Qu'est-ce que c'est? me demanda Stéphanette à voix basse.

– Une âme qui entre en paradis, maîtresse; et je fis le signe de la croix.

Elle se signa aussi, et resta un moment la tête en l'air, très recueillie. Puis elle me dit:

– C'est donc vrai, berger, que vous êtes sorciers, vous autres?

– Nullement, notre demoiselle. Mais ici nous vivons plus près des étoiles, et nous savons ce qui s'y passe mieux que des gens de la plaine.

Elle regardait toujours en haut, la tête appuyée dans la main, entourée de la peau de mouton comme un petit pâtre céleste:

– Qu'il y en a! Que c'est beau! Jamais je n'en avais tant vu... Est-ce que tu sais leurs noms, berger?

– Mais oui, maîtresse... Tenez! juste au-dessus de nous, voilà le *Chemin de saint Jacques* (la voie lactée). Il va de France droit sur l'Espagne. C'est saint Jacques de Galice qui l'a tracé pour montrer sa route au brave Charlemagne lorsqu'il faisait la guerre aux Sarrasins*. Plus loin, vous avez le *Char des âmes* (la grande Ourse) avec ses quatre essieux resplendissants. Les trois étoiles qui vont devant sont les *Trois bêtes*, et cette toute petite contre la troisième c'est le *Charretier*. Voyez-vous tout autour cette pluie d'étoiles qui

* Tous ces détails d'astronomie populaire sont traduits de l'*Almanach provençal* qui se publie en Avignon.

Ist man daran nicht gewöhnt, wird einem bange... Auch unser Fräulein erschauderte und schmiegte sich beim geringsten Laut an mich. Einmal drang vom weiter unten schimmernden Teich ein langer, schwermütiger Schrei in Wellen zu uns herauf.

Im gleichen Augenblick glitt eine Sternschnuppe in derselben Richtung über unsere Köpfe hinweg, als trüge die Klage, die wir soeben gehört hatten, ein Licht mit sich.

«Was ist denn das, was ist das denn?» fragte mich Stéphanette leise.

«Eine Seele, die ins Paradies eingeht, meine Herrin»; und ich machte das Kreuzzeichen.

Sie bekreuzigte sich ebenfalls und schaute einen Augenblick lang zum Himmel auf, sehr nachdenklich. Dann sagte sie zu mir:

«Stimmt es also, Schäfer, daß ihr Zauberer seid?»

«Keineswegs, liebes Fräulein. Aber hier leben wir näher an den Sternen und verstehen besser, was dort geschieht, als Leute aus der Ebene.»

Sie schaute noch immer empor, den Kopf in die Hand gestützt, in das Schaffell gehüllt, wie ein kleiner himmlischer Hirte:

«Welch eine Unmenge! Wie ist das schön! Nie habe ich so viele gesehen... Weißt du, wie sie heißen, Schäfer?»

«Gewiß, Herrin... Schaut, genau über uns ist die *Straße des heiligen Jakobus* (die Milchstraße). Sie führt von Frankreich geradewegs nach Spanien. Ihr Verlauf geht auf den heiligen Jakobus von Galizien zurück, als er Karl dem Großen, dem tapferen Kaiser, im Krieg gegen die Sarazenen den Weg weisen wollte.*

Weiter hinten habt Ihr den *Seelenwagen* (den Großen Bären) mit seinen vier leuchtenden Achsenkappen. Die drei vorderen Sterne sind die *Drei Tiere*, und jener ganz kleine beim dritten ist der *Fuhrmann*. Seht Ihr ringsherum diesen

* Alle diese Einzelheiten volkstümlicher Astronomie sind aus dem in Avignon erscheinenden *Almanach provençal* übersetzt.

tombent? ce sont les âmes dont le bon Dieu ne veut pas chez lui . . . un peu plus bas, voici le *Râteau* ou les *Trois rois* (Orion). C'est ce qui nous sert d'horloge, à nous autres. Rien qu'en les regardant, je sais maintenant qu'il est minuit passé. Un peu plus bas, toujours vers le midi, brille *Jean de Milan*, le flambeau des astres (Sirius). Sur cette étoile-là, voici ce que les bergers racontent. Il paraît qu'une nuit *Jean de Milan*, avec les *Trois rois* et la *Poussinière* (la Pléiade), furent invités à la noce d'une étoile de leurs amies. La *Poussinière*, plus pressée, partit, dit-on, la première, et prit le chemin haut. Regardez-la, là-haut, tout au fond du ciel. Les *Trois rois* coupèrent plus bas et la rattrapèrent; mais ce paresseux de *Jean de Milan*, qui avait dormi trop tard, resta tout à fait derrière, et furieux, pour les arrêter, leur jeta son bâton. C'est pourquoi les *Trois rois* s'appellent aussi le *Bâton de Jean de Milan*... Mais la plus belle de toutes les étoiles, maîtresse, c'est la nôtre, c'est l'*Étoile du berger*, qui nous éclaire à l'aube quand nous sortons le troupeau, et aussi le soir quand nous le rentrons. Nous la nommons encore *Maguelonne*, la belle Maguelonne qui court après *Pierre de Provence* (Saturne) et se marie avec lui tous les sept ans.

– Comment! berger, il y a donc des mariages d'étoiles?

– Mais oui, maîtresse.

Et comme j'essayais de lui expliquer ce que c'était que ces mariages, je sentis quelque chose de frais et de fin peser légèrement sur mon épaule. C'était sa tête alourdie de sommeil qui s'appuyait contre moi avec une joli froissement de rubans, de dentelles et de cheveux ondés. Elle resta ainsi sans bouger jusqu'au moment où les astres du ciel pâlirent, effacés par le jour qui montait. Moi, je la regardais dormir, un peu troublé au fond de mon être, mais saintement protégé par cette claire nuit qui ne m'a jamais donné que de belles pensées. Autour de nous, les étoiles conti-

Regen von fallenden Sternen? Das sind die Seelen, die der liebe Gott nicht bei sich haben will ... Ein wenig tiefer am Himmel ist der *Rechen* oder die *Drei Könige* (Orion). Dieses Sternbild dient uns Hirten als Uhr. Ich brauche bloß hinaufzuschauen und weiß jetzt, daß Mitternacht vorüber ist. Wieder etwas weiter, noch immer in südlicher Richtung, erglänzt *Johannes von Mailand*, die Fackel unter den Gestirnen (Sirius). Und von diesem Stern erzählen sich die Schäfer folgendes. Eines Nachts, so scheint es, war *Johannes von Mailand*, zusammen mit den *Drei Königen* und der *Gluckhenne* (Siebengestirn), zur Hochzeit eines befreundeten Sternes eingeladen. Die *Glucke*, die es eiliger hatte, soll als erste abgereist sein und den oberen Weg eingeschlagen haben. Schaut sie Euch an, dort oben, ganz hinten am Himmel! Die *Drei Könige* kürzten auf dem unteren Weg ab und holten sie ein; aber jener Faulpelz *Johannes von Mailand*, der zu lange geschlafen hatte, blieb ganz weit zurück und, um sie anzuhalten, warf er wütend seinen Stab nach ihnen. Darum heißen die *Drei Könige* auch der *Stab des Johannes von Mailand* ... Aber der schönste aller Sterne, meine Herrin, ist der unsere, nämlich der *Hirtenstern*, der uns bei Tagesanbruch leuchtet, wenn wir die Herde hinauslassen, und auch am Abend, wenn wir sie heimtreiben. Wir nennen ihn auch *Magelone*, die schöne Magelone, die hinter *Peter von der Provence* (Saturn) her ist und sich mit ihm alle sieben Jahre vermählt.

«Nanu! Schäfer, gibt es denn Sternenhochzeiten?»

«Aber ja, meine Herrin.»

Und wie ich ihr zu erklären versuchte, was es mit diesen Hochzeiten auf sich hat, fühlte ich etwas Frisches und Zartes leicht auf meine Schultern sinken. Es war ihr von Schläfrigkeit schwer gewordener Kopf, der sich mit einem hübschen Rascheln von Bändern, Spitzen und welligem Haar an mich lehnte.

So blieb sie regungslos sitzen, bis die Gestirne am Himmel verblaßten, ausgelöscht vom heraufsteigenden Tag. Und ich sah ihr beim Schlafen zu, in der Tiefe meines Seins zwar ein wenig aufgewühlt, doch gottselig beschützt von dieser klaren Nacht, die mir immer nur schöne Gedanken eingegeben

nuaient leur marche silencieuse, dociles comme un grand troupeau; et par moments je me figurais qu'une de ces étoiles, la plus fine, la plus brillante, ayant perdu sa route, était venue se poser sur mon épaule pour dormir...

hat. Rings um uns setzten die Sterne ihren stillen Lauf fort, folgsam wie eine große Herde; und zeitweise stellte ich mir vor, einer dieser Sterne, der vornehmste und strahlendste, sei von seiner Bahn abgekommen und habe sich auf meiner Schulter niedergelassen, um zu schlafen . . .

Pour aller au village, en descendant de mon moulin, on passe devant un *mas* bâti près de la route au fond d'une grande cour plantée de micocouliers. C'est la vraie maison du *ménager* de Provence, avec ses tuiles rouges, sa large façade brune irrégulièrement percée, puis tout en haut la girouette du grenier, la poulie pour hisser les meules, et quelques touffes de foin brun qui dépassent...

Pourquoi cette maison m'avait-elle frappé? Pourquoi ce portail fermé me serrait-il le cœur? Je n'aurais pas pu le dire, et pourtant ce logis me faisait froid. Il y avait trop de silence autour... Quand on passait, les chiens n'aboyaient pas, les pintades s'en fuyaient sans crier...

A l'intérieur, pas une voix! Rien, pas même un grelot de mule... Sans les rideaux blancs des fenêtres et la fumée qui montait des toits, on aurait cru l'endroit inhabité.

Hier, sur le coup de midi, je revenais du village, et, pour éviter le soleil, je longeais les murs de la ferme, dans l'ombre des micocouliers... Sur la route, devant le *mas*, des valets silencieux achevaient de charger une charrette de foin... Le portail était resté ouvert. Je jetai un regard en passant, et je vis, au fond de la cour, accoudé, – la tête dans ses mains, – sur une large table de pierre, un grand vieux tout blanc, avec une veste trop courte et des culottes en lambeaux... Je m'arrêtai. Un des hommes me dit tout bas:

– Chut! c'est le maître... Il est comme ça depuis le malheur de son fils.

A ce moment une femme et un petit garçon, vêtus de noir, passèrent près de nous avec de gros paroissiens dorés, et entrèrent à la ferme.

Die Arlesierin

Steigt man von meiner Mühle ins Dorf hinunter, so kommt man an einem Bauernhaus vorbei, das in der Nähe der Straße im hinteren Teil eines großen, mit Ulmen bepflanzten Hofes steht. Es ist das echte Haus des provenzalischen Halbpächters, mit seinen roten Dachziegeln, seiner breiten, braunen, von Fenstern unregelmäßig durchbrochenen Vorderansicht sowie der Wetterfahne hoch über dem Speicher, der Winde zum Aufziehen der Heuballen und ein paar herausstehenden Büscheln braunen Heus.

Warum war mir dieses Haus aufgefallen? Warum schnürte mir der Anblick dieses verschlossenen Tores das Herz zusammen? Ich hätte es nicht zu sagen vermocht, und dennoch wirkte diese Wohnstätte auf mich frostig. Es herrschte zu viel Stille ringsherum. ... Wenn man vorüberging, schlugen die Hunde nicht an, die Perlhühner flüchteten, ohne zu schreien... Drinnen – kein Laut! Nichts, nicht einmal das Schellengeläut eines Maultiers... Ohne die weißen Vorhänge an den Fenstern und ohne den von den Dächern aufsteigenden Rauch hätte man das Anwesen für unbewohnt gehalten.

Gestern kam ich, als es gerade Mittag schlug, aus dem Dorf zurück und ging, um die Sonne zu meiden, an den Mauern des Gehöfts entlang, im Schatten der Ulmen... Auf der Straße, vor dem Haus, waren schweigsame Knechte eben mit dem Beladen eines Heuwagens fertig... Das Hoftor war noch offen. Ich warf im Vorbeigehen einen Blick hinein und sah hinten im Hof, auf einen großen Steintisch gestützt, – den Kopf in den Händen, – einen hochgewachsenen Alten mit schneeweißem Haar. Er hatte eine zu kurze Jacke und zerlumpte Hosen an... Ich blieb stehen. Einer der Männer sagte ganz leise zu mir:

«Pst! Das ist der Herr... So ist er seit dem Unglück mit seinem Sohn.»

In diesem Augenblick kamen eine Frau und ein kleiner Junge, beide schwarz gekleidet, mit dicken, vergoldeten Meßbüchern an uns vorbei und gingen in den Hof.

L'homme ajouta:

– ... La maîtresse et Cadet qui reviennent de la messe. Ils y vont tous les jours, depuis que l'enfant s'est tué... Ah! monsieur, quelle désolation!... Le père porte encore les habits du mort; on ne peut pas les lui faire quitter... Dia! Hue! la bête!

La charrette s'ébranla pour partir. Moi, qui voulais en savoir plus long, je demandai au voiturier de monter à côté de lui, et c'est là-haut, dans le foin, que j'appris toute cette navrante histoire...

Il s'appelait Jan. C'était un admirable paysan de vingt ans, sage comme une fille, solide et le visage ouvert. Comme il était très beau, les femmes le regardaient; mais lui n'en avait qu'une en tête, – une petite Arlésienne, toute en velours et en dentelles, qu'il avait rencontrée sur la Lice d'Arles, une fois. – Au *mas*, on ne vit pas d'abord cette liaison avec plaisir. La fille passait pour coquette, et ses parents n'étaient pas du pays. Mais Jan voulait son Arlésienne à toute force. Il disait:

– Je mourrai si on ne me la donne pas.

Il fallut en passer par là. On décida de les marier après la moisson.

Donc, un dimanche soir, dans la cour du *mas*, la famille achevait de dîner. C'était presque un repas de noces. La fiancée n'y assistait pas, mais on avait bu en son honneur tout le temps... Un homme se présente à la porte, et, d'une voix qui tremble, demande à parler à maître Estève, à lui seul. Estève se lève et sort sur la route.

– Maître, lui dit l'homme, vous allez marier votre enfant à une coquine, qui a été ma maîtresse pendant deux ans. Ce que j'avance, je le prouve: voici des lettres!... Les parents savent tout et me l'avaient promise; mais, depuis que votre fils la recherche, ni eux ni la belle ne veulent plus de moi... J'aurais cru pourtant qu'après ça elle ne pouvait pas être la femme d'un autre.

Der Mann fuhr fort:

«... Die Frau und der Jüngste, die von der Messe kommen. Seit der ältere Sohn sich umgebracht hat, gehen sie jeden Tag hin... Ach, mein Herr, ist das ein Gram!... Der Vater trägt noch immer die Kleider des Toten; man kann ihn nicht dazu bringen, sich von ihnen zu trennen... Hü, vorwärts, Grauer!»

Der Wagen setzte sich in Bewegung. Ich, der ich mehr von der Geschichte wissen wollte, bat den Fuhrmann, mich an seiner Seite aufsitzen zu lassen, und dort oben, im Heu, erfuhr ich die ganze erschütternde Geschichte...

Er hieß Jan und er war ein prächtiger Bauernbursche von zwanzig Jahren, sittsam wie ein Mädchen, gediegen und ohne Falsch. Da er sehr gut aussah, schauten ihm die Frauen nach; er aber hatte nur eine im Kopf, – eine kleine, ganz in Samt und Spitzen gekleidete Arlesierin, die er einmal auf dem Boulevard des Lices in Arles getroffen hatte. – Auf dem Hof sah man diese Verbindung zunächst nicht gern. Das Mädchen galt als leichtsinnig, und ihre Eltern stammten nicht aus der Gegend. Aber Jan wollte unbedingt seine Arlesierin. Er sagte:

«Wenn ihr sie mir nicht gebt, sterbe ich.»

Man mußte sich fügen und beschloß, die beiden nach der Ernte zu verheiraten.

Eines Sonntagabends saß nun die Familie im Hof des Anwesens beim Essen. Es war beinahe ein Hochzeitsmahl, das sich eben seinem Ende näherte. Die Braut war nicht dabei, aber man hatte die ganze Zeit auf ihr Wohl getrunken... Da erscheint ein Mann an der Tür und fragt mit bebender Stimme, ob er Meister Estève sprechen könne, und zwar allein. Estève steht auf und geht hinaus auf die Straße.

«Bauer,» sagt der Mann, «Ihr seid im Begriff, Euren Sohn mit einem liederlichen Frauenzimmer zu verheiraten, das zwei Jahre lang meine Geliebte gewesen ist. Was ich vorbringe, beweise ich auch: hier sind Briefe!... Die Eltern wissen alles und hatten mir das Mädchen versprochen; aber seitdem Euer Sohn um sie wirbt, wollen die Alten wie auch das schöne Kind nichts mehr von mir wissen... Ich hätte jedoch gemeint, daß nach alldem sie nicht die Frau eines anderen sein könnte.»

– C'est bien ! dit maître Estève quand il eut regardé les lettres ; entrez boire un verre de muscat.

L'homme répond :

– Merci ! j'ai plus de chagrin que de soif.

Et il s'en va.

Le père rentre, impassible ; il reprend sa place à table ; et le repas s'achève gaiement…

Ce soir-là, maître Estève et son fils s'en allèrent ensemble dans les champs. Ils restèrent longtemps dehors ; quand ils revinrent, la mère les attendait encore.

– Femme, dit le *ménager,* en lui amenant son fils, embrasse-le ! il est malheureux…

Jan ne parla plus de l'Arlésienne. Il l'aimait toujours cependant, et même plus que jamais, depuis qu'on la lui avait montrée dans les bras d'un autre. Seulement il était trop fier pour rien dire ; c'est ce qui le tua, le pauvre enfant !… Quelquefois il passait des journées entières seul dans un coin, sans bouger. D'autres jours, il se mettait à la terre avec rage et abattait à lui seul le travail de dix journaliers… Le soir venu, il prenait la route d'Arles et marchait devant lui jusqu'à ce qu'il vît monter dans le couchant les clochers grêles de la ville. Alors il revenait. Jamais il n'alla plus loin.

De le voir ainsi, toujours triste et seul, les gens du *mas* ne savaient plus que faire. On redoutait un malheur… Une fois, à table, sa mère, en le regardant avec des yeux pleins de larmes, lui dit :

– Eh bien ! écoute, Jan, si tu la veux tout de même, nous te la donnerons…

Le père, rouge de honte, baissait la tête…

Jan fit signe que non, et il sortit…

A partir de ce jour, il changea sa façon de vivre, affectant d'être toujours gai, pour rassurer ses parents. On le revit au bal, au cabaret, dans les ferrades. A la vote de Fontvieille, c'est lui qui mena la farandole.

«Es ist gut!» sagte Meister Estève, als er die Briefe angesehen hatte; «kommt herein auf ein Glas Muskateller!»

Der Mann antwortet:

«Danke! Mein Kummer ist größer als mein Durst.»

Und er geht.

Der Vater kommt zurück, in sich gekehrt; er nimmt wieder seinen Platz am Tisch ein, und das Essen geht in fröhlicher Stimmung zu Ende...

An jenem Abend gingen Herr Estève und sein Sohn zusammen auf die Felder hinaus. Sie blieben lange weg. Als sie zurückkamen, wartete die Mutter noch auf sie.

«Frau,» sagte der Bauer, als er ihr den Sohn zuführte, «nimm ihn in die Arme! Er ist unglücklich...»

Jan sprach nicht mehr von der Arlesierin. Er liebte sie allerdings noch immer, sogar mehr denn je, seitdem er sie in den Armen eines anderen wußte. Nur war er zu stolz, etwas zu sagen; und daran ging er zugrunde, der arme Kerl!... Mitunter verdrückte er sich ganze Tage in einer Ecke, ohne sich zu rühren. An anderen Tagen stürzte er sich wütend auf die Feldarbeit und werkelte allein soviel wie zehn Tagelöhner... Wenn es Abend wurde, machte er sich auf den Weg nach Arles und marschierte geradeaus, bis er im Westen die schlanken Kirchtürme der Stadt auftauchen sah. Dann kehrte er um. Niemals ging er weiter.

Wenn die Leute vom Hof ihn so sahen, immer traurig und einsam, wußten sie keinen Rat mehr. Man fürchtete ein Unglück... Einmal blickte die Mutter ihren Sohn bei Tisch mit verweinten Augen an und sagte:

«Hör mal, Jan, wenn du sie trotzdem willst, geben wir sie dir...»

Rot vor Scham senkte der Vater den Kopf...

Jan wehrte ab und ging hinaus...

Von dem Tag an änderte er seine Lebensweise und gab sich, um seine Eltern zu beruhigen, immer fröhlich. Man sah ihn wieder beim Tanz, in der Kneipe und bei Dorffesten, wo die jungen Stiere und Pferde mit dem Brenneisen markiert werden. Beim Votivfest von Fontvieille führte er die Farandole an.

Le père disait: «Il est guéri.» La mère, elle, avait toujours des craintes et plus que jamais surveillait son enfant... Jan couchait avec Cadet, tout près de la magnanerie; la pauvre vieille se fit dresser un lit à côté de leur chambre... Les magnans pouvaient avoir besoin d'elle, dans la nuit.

Vint la fête de saint Éloi, patron des ménagers.

Grande joie au *mas*... Il y eut du châteauneuf pour tout le monde et du vin cuit comme s'il en pleuvait. Puis des pétards, des feux sur l'aire, des lanternes de couleur plein les micocouliers. Vive saint Éloi! On farandola à mort. Cadet brûla sa blouse neuve... Jan lui-même avait l'air content; il voulut faire danser sa mère; la pauvre femme en pleurait de bonheur.

A minuit, on alla se coucher. Tout le monde avait besoin de dormir... Jan ne dormit pas, lui. Cadet a raconté depuis que toute la nuit il avait sangloté... Ah! je vous réponds qu'il était bien mordu, celui-là...

Le lendemain, à l'aube, la mère entendit quelqu'un traverser sa chambre en courant. Elle eut comme un pressentiment.

– Jan, c'est toi?

Jan ne répond pas; il est déjà dans l'escalier.

Vite, vite la mère se lève:

– Jan, où vas-tu?

Il monte au grenier; elle monte derrière lui:

– Mon fils, au nom du ciel!

Il ferme la porte et tire le verrou.

– Jan, mon Janet, réponds-moi. Que vas-tu faire?

A tâtons, de ses vieilles mains qui tremblent, elle cherche le loquet... Une fenêtre qui s'ouvre, le bruit d'un corps sur les dalles de la cour, et c'est tout...

Il s'était dit, le pauvre enfant: «Je l'aime trop... Je m'en vais...» Ah! misérables cœurs que nous
54 sommes! C'est un peu fort pourtant que le mépris ne
55 puisse pas tuer l'amour!...

Der Vater sagte: «Er ist geheilt.» Die Mutter dagegen wurde ihre Ängste nicht los und paßte mehr denn je auf ihr Kind auf... Jan schlief mit dem jüngsten Bruder zusammen gleich bei der Seidenraupenkammer; die arme Frau ließ sich neben der Stube der beiden ein Bett aufstellen... Nachts könnten die Seidenraupen sie ja brauchen.

Es kam das Fest des heiligen Eligius, des Patrons der Landwirte.

Große Freude auf dem Hof... Für alle floß Châteauneuf und Dessertwein in Strömen. Dann Knallfrösche, Feuerwerk auf der Tenne und eine Menge bunter Lampions in den Ulmen. Der heilige Eligius lebe hoch! Man tanzte bis zur Erschöpfung. Brüderchen versengte sich seinen neuen Kittel... Selbst Jan sah zufrieden aus; er forderte seine Mutter zum Tanz auf; die arme Frau weinte vor Glück.

Um Mitternacht ging man zu Bett. Alle brauchten den Schlaf... Nur Jan schlief nicht. Der Kleine hat später erzählt, der Bruder habe die ganze Nacht geschluchzt... Ach, ich sage Ihnen, den hatte es arg erwischt...

Am nächsten Morgen hörte die Mutter bei Tagesanbruch jemanden durch ihre Kammer laufen. Als ob sie etwas ahnte, fragte sie:

«Jan, bist du's?»

Jan gibt keine Antwort; er ist schon auf der Treppe.

Blitzschnell steht die Mutter auf:

«Jan, wo gehst du hin?»

Er steigt auf den Heuboden, sie hinterdrein:

«Mein Sohn, um Himmels willen!»

Er schließt die Tür und schiebt den Riegel vor.

«Jan, mein Janchen, antworte mir! Was hast du vor?»

Tastend sucht sie mit ihren alten, zittrigen Händen den Türdrücker... Ein Fenster, das aufgeht, das Geräusch eines Körpers, der auf den Fliesen im Hof aufschlägt, das ist alles...

Der arme Kerl hatte sich gesagt: «Ich liebe sie zu sehr... Ich gehe...» Ach, was sind wir doch für bedauernswerte Herzen! Es ist schon ein bißchen stark, daß die Verachtung die Liebe nicht zu töten vermag!...

Ce matin-là, les gens du village se demandèrent qui pouvait crier ainsi, là-bas, du côté du *mas* d'Estève . . .

C'était, dans la cour, devant la table de pierre couverte de rosée et de sang, la mère toute nue qui se lamentait, avec son enfant mort sur ses bras.

An jenem Morgen fragten sich die Leute im Dorf, wer da drüben, bei Estèves Anwesen, wohl so schreien mochte . . .

Im Hof saß vor dem mit Tau und Blut benetzten Steintisch völlig nackt die Mutter und erging sich in Wehklagen, ihr totes Kind in den Armen.

De tous les jolis dictons, proverbes ou adages, dont nos paysans de Provence passementent leurs discours, je n'en sais pas un plus pittoresque ni plus singulier que celui-ci. A quinze lieues autour de mon moulin, quand on parle d'un homme rancunier, vindicatif, on dit: «Cet homme-là! méfiez-vous!... il est comme la mule du Pape, qui garde sept ans son coup de pied.»

J'ai cherché bien longtemps d'où ce proverbe pouvait venir, ce que c'était que cette mule papale et ce coup de pied gardé pendant sept ans. Personne ici n'a pu me renseigner à ce sujet, pas même Francet Mamaï, mon joueur de fifre, qui connaît pourtant son légendaire provençal sur le bout du doigt. Francet pense comme moi qu'il y a là-dessous quelque ancienne chronique du pays d'Avignon; mais il n'en a jamais entendu parler autrement que par le proverbe...

– Vous ne trouverez cela qu'à la bibliothèque des Cigales, m'a dit le vieux fifre en riant.

L'idée m'a paru bonne, et comme la bibliothèque des Cigales est à ma porte, je suis allé m'y enfermer pendant huit jours.

C'est une bibliothèque merveilleuse, admirablement montée, ouverte aux poètes jour et nuit, et desservie par de petits bibliothécaires à cymbales qui vous font de la musique tout le temps. J'ai passé là quelques journées délicieuses, et, après une semaine de recherches, – sur les dos, – j'ai fini par découvrir ce que je voulais, c'est-à-dire l'histoire de ma mule et de ce fameux coup de pied gardé pendant sept ans. Le conte en est joli quoique un peu naïf, et je vais essayer de vous le dire tel que je l'ai lu hier matin dans un manuscrit couleur du temps, qui sentait bon la

Die Mauleselin des Papstes

Von allen hübschen Redensarten, Sprichwörtern oder Sinnsprüchen, mit denen unsere provenzalischen Bauern ihre Rede schmücken, kenne ich keine Wendung, die farbiger oder einzigartiger wäre als diese: «Der! Hüten Sie sich vor dem! . . . Er ist wie die Mauleselin des Papstes, die ihren Fußtritt sieben Jahre aufspart.» So sagt man, wenn auf fünfzehn Meilen im Umkreis von meiner Mühle von einem nachtragenden, rachsüchtigen Menschen gesprochen wird.

Ich habe sehr lange nachgeforscht, woher diese Redensart kommen mochte, was es mit diesem päpstlichen Maultier und diesem sieben Jahre aufgesparten Fußtritt für eine Bewandtnis habe. Niemand hier hat mir darüber Auskunft geben können, nicht einmal Francet Mamaï, mein Querpfeifer, der doch seinen provenzalischen Legendenschatz kennt wie die eigene Hosentasche. Francet glaubt, wie ich, es stecke irgendein alter Bericht aus der Gegend von Avignon dahinter; aber er hat sonst nie davon reden hören, außer eben in dieser sprichwörtlichen Wendung . . .

«Das werdet Ihr nur in der Grillenbibliothek herausbekommen,» hat mir der alte Querpfeifer lachend gesagt.

Der Einfall erschien mir gut, und da die Grillenbibliothek sich gleich vor meiner Haustür befindet, habe ich mich acht Tage lang dort eingeschlossen.

Es ist eine wundersame, prachtvoll aufgebaute Bibliothek, für Dichter Tag und Nacht geöffnet; den Dienst versehen kleine Bibliothekare, die fortwährend mit Zimbeln für die Besucher musizieren. Ich habe dort einige köstliche Tage verbracht und nach einwöchiger Forschung, – auf dem Rücken liegend, – schließlich entdeckt, was ich suchte, nämlich die Geschichte meiner Mauleselin und jenes berühmten Fußtritts, den sie sieben Jahre aufgespart hatte. Die davon handelnde Erzählung ist hübsch, wenngleich etwas einfältig, und ich will versuchen, sie Ihnen so wiederzugeben, wie ich sie gestern früh in einer vergilbten Handschrift gelesen habe, die angenehm

lavande sèche et avait de grands fils de la Vierge pour signets.

Qui n'a pas vu Avignon du temps des Papes, n'a rien vu. Pour la gaieté, la vie, l'animation, le train des fêtes, jamais une ville pareille. C'étaient, du matin au soir, des processions, des pèlerinages, les rues jonchées de fleurs, tapissées de hautes lices, des arrivages de cardinaux par le Rhône, bannières au vent, galères pavoisées, les soldats du Pape qui chantaient du latin sur les places, les crécelles des frères quêteurs; puis, du haut en bas des maisons qui se pressaient en bourdonnant autour du grand palais papal comme des abeilles autour de leur ruche, c'était encore le tic tac des métiers à dentelles, le va-et-vient des navettes tissant l'or des chasubles, les petits marteaux des ciseleurs de burettes, les tables d'harmonie qu'on ajustait chez les luthiers, les cantiques des ourdisseuses; par là-dessus le bruit des cloches, et toujours quelques tambourins qu'on entendait ronfler, là-bas, du côté du pont. Car chez nous, quand le peuple est content, il faut qu'il danse, il faut qu'il danse; et comme en ce temps-là les rues de la ville étaient trop étroites pour la farandole, fifres et tambourins se postaient sur le pont d'Avignon, au vent frais du Rhône, et jour et nuit l'on y dansait, l'on y dansait... Ah! l'heureux temps! l'heureuse ville! Des hallebardes qui ne coupaient pas; des prisons d'État où l'on mettait le vin à rafraîchir. Jamais de disette; jamais de guerre... Voilà comment les Papes du Comtat savaient gouverner leur peuple; voilà pourquoi leur peuple les a tant regrettés!...

Il y en a un surtout, un bon vieux, qu'on appelait Boniface... Oh! celui-là, que de larmes on a versées en Avignon quand il est mort! C'était un prince si aimable, si avenant! Il vous riait si bien du haut de sa
60 mule! Et quand vous passiez près de lui, – fussiez-
61 vous un pauvre petit tireur de garance ou le grand

nach trockenem Lavendel roch und lange Fäden von Altweibersommer als Lesezeichen hatte.

Wer Avignon nicht zur Zeit der Päpste gesehen hat, hat nichts gesehen. Was Frohsinn, Leben, Betriebsamkeit, rauschende Festlichkeiten betrifft – nie hatte diese Stadt ihresgleichen. Von früh bis spät Prozessionen, Wallfahrten, blumenübersäte und mit kostbaren Teppichen ausgelegte Straßen, Ankunft von Kardinälen auf der Rhone, Banner im Wind, bewimpelte Galeeren, die Soldaten des Papstes, die auf den Plätzen lateinisch sangen, die Klappern der Bettelmönche; sodann: vom Dach bis zum Keller der Häuser, die sich summend um den großen Papstpalast drängten, wie Bienen um ihren Korb, das Klippklapp der Spitzenwebstühle, das Hin und Her der Schiffchen, die das Gold der Meßgewänder webten, die Hämmerchen der Meßkännchenziseleure, die Resonanzböden, die bei den Lautenmachern eingepaßt wurden, die Lobgesänge der Weberinnen; alles übertönt vom Lärm der Glocken, und immer wieder einige Tamburine, die man dort unten, nach der Brücke zu, rasseln hörte.

Denn wenn das Volk bei uns zufrieden ist, muß es tanzen, tanzen; und weil damals die Straßen der Stadt zu eng für die Farandole waren, stellten sich Pfeifer und Tamburintrommler auf die Brücke von Avignon in den frischen Rhonewind, und Tag und Nacht wurde dort getanzt und getanzt ... O glückliche Zeit! Glückliche Stadt! Hellebarden, die nicht scharf waren; Staatsgefängnisse, in die man den Wein zur Kühlung schaffte. Nie Hungersnot; nie Krieg ... So verstanden die Päpste der Grafschaft ihr Volk zu regieren; deshalb hat ihnen ihr Volk auch so sehr nachgetrauert! ...

Vor allem einem, einem guten Alten namens Bonifatius ... Oh, wieviele Tränen wurden um ihn in Avignon vergossen, als er starb! Das war ein so liebenswürdiger, leutseliger Fürst. Er konnte von seinem Maultier herab so herzlich lachen. Und kam man an ihm vorbei, – ob man nun ein armer, kleiner Krappfärber oder der Großvogt der Stadt war, – gab er einem

viguier de la ville, – il vous donnait sa bénédiction si poliment! Un vrai pape d'Yvetot, mais d'un Yvetot de Provence, avec quelque chose de fin dans le rire, un brin de marjolaine à sa barrette, et pas la moindre Jeanneton . . . La seule Jeanneton qu'on lui ait jamais connue, à ce bon père, c'était sa vigne, – une petite vigne qu'il avait plantée lui-même, à trois lieues d'Avignon, dans les myrtes de Château-Neuf.

Tous les dimanches, en sortant de vêpres, le digne homme allait lui faire sa cour; et quand il était là-haut, assis au bon soleil, sa mule près de lui, ses cardinaux tout autour étendus aux pieds des souches, alors il faisait déboucher un flacon de vin du cru, – ce beau vin, couleur de rubis qui s'est appelé depuis le Château-Neuf des Papes, – et il le dégustait par petits coups, en regardant sa vigne d'un air attendri. Puis, le flacon vidé, le jour tombant, il rentrait joyeusement à la ville, suivi de tout son chapitre; et, lorsqu'il passait sur le pont d'Avignon, au milieu des tambours et des farandoles, sa mule, mise en train par la musique, prenait un petit amble sautillant, tandis que lui-même il marquait le pas de la danse avec sa barrette, ce qui scandalisait fort ses cardinaux, mais faisait dire à tout le peuple: «Ah! le bon prince! Ah! le brave pape!»

Après sa vigne de Château-Neuf, ce que le pape aimait le plus au monde, c'était sa mule. Le bonhomme en raffolait de cette bête-là. Tous les soirs avant de se coucher il allait voir si son écurie était bien fermée, si rien ne manquait dans sa mangeoire, et jamais il ne se serait levé de table sans faire préparer sous ses yeux un grand bol de vin à la française, avec beaucoup de sucre et d'aromates, qu'il allait lui porter lui-même, malgré les observations de ses cardinaux . . . Il faut dire aussi que la bête en valait la peine. C'était une belle mule noire mouchetée de rouge, le pied sûr, le poil luisant, la croupe large et pleine, portant fière-

so höflich seinen Segen. Ein wahrer Papst von Yvetot, aber einem provenzalischen Yvetot, irgendwie mit Anmut im Lachen, einem Majoranzweiglein am Hut und ohne jegliches Bettschätzchen . . .

Der einzige Schatz, den man bei ihm, diesem guten Vater, je gekannt hat, war sein Weinberg, – ein kleiner Weinberg, den er im Myrtenhain von Châteauneuf, drei Meilen von Avignon, selbst angelegt hatte.

Jeden Sonntag machte ihm der würdige Mann nach der Vesperandacht seine Aufwartung; und saß er dann dort oben in der warmen Sonne, sein Maultier neben sich und seine Kardinäle rundum am Fuß der Rebstöcke lagernd, ließ er eine Flasche Eigenbau entkorken, – jenen schönen, rubinfarbenen Wein, der seither «Châteauneuf-du-Pape» heißt, – und er kostete ihn schlückchenweise, während er seinen Weinberg zärtlich betrachtete. Sobald dann gegen Abend die Flasche geleert war, kehrte er heiteren Sinnes in die Stadt zurück, gefolgt von seinem ganzen Kapitel; und wenn er über die Brücke von Avignon ritt, zwischen den Trommlern und Farandoletänzern hindurch, verfiel seine Mauleselin, von der Musik in Stimmung gebracht, in einen niedlichen, tänzelnden Paßgang, während er selbst den Takt des Tanzes mit seinem Hut unterstrich, was seine Kardinäle sehr entrüstete, das ganze Volk aber sagen ließ: «O, der gute Fürst! O, der wackere Papst!»

Was der Papst nach seinem Weinberg von Châteauneuf am meisten auf der Welt liebte, war seine Mauleselin. Der Gute war in dieses Tier geradezu vernarrt. Jeden Abend, ehe er sich schlafen legte, schaute er nach, ob ihr Stall wohlverschlossen war, ob nichts in ihrer Futterkrippe fehlte, und nie hätte er sich von der Tafel erhoben, ohne vor seinen Augen eine große Schale Wein nach französicher Art, mit viel Zucker und Würzstoffen, zubereiten zu lassen, die er dem Maultier selber brachte, den Bemerkungen seiner Kardinäle zum Trotz . . . Man muß auch sagen, daß das Tier die Mühe verdiente. Es war eine schöne, schwarze, rotgefleckte Mauleselin, mit sicherem Tritt, glänzendem Fell und breiter, voller Kruppe. Stolz trug sie

ment sa petite tête sèche toute harnachée de pompons, de nœuds, de grelots d'argent, de bouffettes; avec cela douce comme un ange, l'œil naïf, et deux longues oreilles, toujours en branle, qui lui donnaient l'air bon enfant... Tout Avignon la respectait, et, quand elle allait dans les rues, il n'y avait pas de bonnes manières qu'on ne lui fît; car chacun savait que c'était le meilleur moyen d'être bien en cour, et qu'avec son air innocent, la mule du Pape en avait mené plus d'un à la fortune, à preuve Tistet Védène et sa prodigieuse aventure.

Ce Tistet Védène était, dans le principe, un effronté galopin, que son père, Guy Védène, le sculpteur d'or, avait été obligé de chasser de chez lui, parce qu'il ne voulait rien faire et débauchait les apprentis. Pendant six mois, on le vit traîner sa jaquette dans tous les ruisseaux d'Avignon, mais principalement du côté de la maison papale; car le drôle avait depuis longtemps son idée sur la mule du Pape, et vous allez voir que c'était quelque chose de malin... Un jour que Sa Sainteté se promenait toute seule sous les remparts avec sa bête, voilà mon Tistet qui l'aborde, et lui dit en joignant les mains d'un air d'admiration:

– Ah mon Dieu! grand Saint-Père, quelle brave mule vous avez là!... Laissez un peu que je la regarde... Ah! mon Pape, la belle mule!... L'empereur d'Allemagne n'en a pas une pareille.

Et il la caressait et il lui parlait doucement comme à une demoiselle:

– Venez çà, mon bijou, mon trésor, ma perle fine...

Et le bon Pape, tout ému, se disait dans lui-même:

– Quel bon petit garçonnet!... Comme il est gentil avec ma mule!

Et puis le lendemain savez-vous ce qui arriva? Tistet Védène troqua sa vieille jaquette jaune contre une belle aube en dentelles, un camail de soie violette, des souliers à boucles, et il entra dans la maîtrise du

ihr mageres, über und über mit Quasten, Schleifen, Silberschellen und Bändern behängtes Köpfchen. Dabei war sie lammfromm, hatte treuherzige Augen und zwei lange Ohren, die immer in Bewegung waren und ihr ein gutmütiges Aussehen verliehen ... Ganz Avignon zollte ihr Achtung, und wenn sie durch die Straßen ging, erwies man ihr alle erdenklichen Aufmerksamkeiten; denn jeder wußte, daß dies das beste Mittel war, bei Hof gut angeschrieben zu sein, und daß das Maultier des Papstes mit seiner Unschuldsmiene mehr als einem Mann zu seinem Glück verholfen hatte, wofür Tistet Védène und sein außerordentlicher Aufstieg als Beweis gelten mögen.

Dieser Tistet Védène war von Natur aus ein unverschämter Bengel, den sein Vater, der Goldschmied Guy Védène, aus dem Haus hatte jagen müssen, weil er nicht arbeiten wollte und die Lehrlinge verdarb. Ein halbes Jahr lang sah man, wie er sich in allen verrufenen Winkeln von Avignon herumtrieb, vor allem aber in der Nähe des Papstpalastes; denn der Kerl hatte schon seit langem etwas mit der Mauleselin des Papstes vor, etwas Hinterhältiges, wie Sie gleich sehen werden ... Als Seine Heiligkeit eines Tages ganz allein unter den Festungsmauern spazierenritt, spricht ihn doch mein Tistet an, die Hände mit einem Ausdruck der Bewunderung faltend:

«O mein Gott! Großer Heiliger Vater, was habt Ihr da für ein tüchtiges Maultier! ... Gestattet, daß ich es ein wenig betrachte ... O, mein Papst, das schöne Maultier! ... So eines hat der Kaiser von Deutschland nicht.»

Und er streichelte es und sprach zärtlich zu ihm wie mit einer jungen Dame:

«Nun komm doch, mein Juwel, mein Schatz, meine köstliche Perle ...»

Und der gute Papst sagte sich insgeheim ganz gerührt:

«Welch gutes, liebes Bürschchen! ... Wie nett es doch zu meinem Maultier ist!»

Und wissen Sie, was dann, am nächsten Tag, geschah? Tistet Védène tauschte seinen alten gelben Kittel gegen ein schönes spitzenverziertes Chorhemd, einen Umhang aus violetter Seide und Schnallenschuhe und trat in die päpstliche Singschule ein,

Pape, où jamais avant lui on n'avait reçu que des fils de nobles et des neveux de cardinaux... Voilà ce que c'est que l'intrigue!... Mais Tistet ne s'en tint pas là.

Une fois au service du Pape, le drôle continua le jeu qui lui avait si bien réussi. Insolent avec tout le monde, il n'avait d'attentions ni de prévenances que pour la mule, et toujours on le rencontrait par les cours du palais avec une poignée d'avoine ou une bottelée de sainfoin, dont il secouait gentiment les grappes roses en regardant le balcon du Saint-Père, d'un air de dire: «Hein!... pour qui ça?...» Tant et tant qu'à la fin le bon Pape, qui se sentait devenir vieux, en arriva à lui laisser le soin de veiller sur l'écurie et de porter à la mule son bol de vin à la française; ce qui ne faisait pas rire les cardinaux.

Ni la mule non plus, cela ne la faisait pas rire... Maintenant, à l'heure de son vin, elle voyait toujours arriver chez elle cinq ou six petits clercs de maîtrise qui se fourraient vite dans la paille avec leur camail et leurs dentelles; puis, au bout d'un moment, une bonne odeur chaude de caramel et d'aromates emplissait l'écurie, et Tistet Védène apparaissait portant avec précaution le bol de vin à la française. Alors le martyre de la pauvre bête commençait.

Ce vin parfumé qu'elle aimait tant, qui lui tenait chaud, qui lui mettait des ailes, on avait la cruauté de le lui apporter, là, dans sa mangeoire, de le lui faire respirer; puis, quand elle en avait les narines pleines, passe, je t'ai vu! La belle liqueur de flamme rose s'en allait toute dans le gosier de ces garnements... Et encore, s'ils n'avaient fait que lui voler son vin; mais c'étaient comme des diables, tous ces petits clercs, quand ils avaient bu!... L'un lui tirait les oreilles, l'autre la queue; Quiquet lui montait sur le dos, Béluguet lui essayait sa barrette, et pas un de ces galopins ne songeait que d'un coup de reins ou d'une ruade la brave bête aurait pu les envoyer tous dans

in der vor ihm nur Söhne von Adeligen und Neffen von Kardinälen Aufnahme gefunden hatten ... Da sieht man, was Gerissenheit ist! ... Aber Tistet begnügte sich damit nicht.

Einmal in päpstlichen Diensten, setzte der Schlingel das Spiel fort, das ihm so gut geglückt war. Frech zu jedermann, galten seine Aufmerksamkeit und Zuvorkommenheit nur der Mauleselin, und ständig traf man ihn in den Höfen des Palastes mit einer Handvoll Hafer oder einem Bund Süßklee, dessen traubenförmige rosa Blüten er anmutig schwenkte, wobei er zum Balkon des Heiligen Vaters emporsah, als wollte er sagen: «Na! ... für wen ist das wohl? ...» Das ging so lange, bis schließlich der gute Papst, der das Alter zu spüren begann, sich entschloß, ihm die Stallaufsicht zu übertragen sowie das Amt, der Mauleselin ihre Schale Würzwein zu bringen, was die Kardinäle nicht zum Lachen fanden.

Das Maultier auch nicht; ihm war ebenfalls nicht zum Lachen zumute ... Um die Zeit seines Weines sah es jetzt immer fünf, sechs Chorknaben in den Stall kommen, die sich rasch mit ihren Umhängen und Spitzen ins Stroh verkrochen; einen Augenblick später erfüllte dann ein guter, warmer Duft nach Karamel und Gewürzkräutern den Stall, und Tistet Védène erschien und trug behutsam die Schale des auf französische Art zubereiteten Weins. Nun begann die Leidenszeit des armen Tieres.

Diesen duftenden Wein, den die Mauleselin so sehr liebte, der sie warm hielt, ihr Flügel verlieh, – sie waren so grausam, ihr den Wein zu bringen, dort bei ihrer Futterkrippe sie daran schnuppern zu lassen; hatte sie dann die Nüstern voll von dem Duft, hoppla! weg war das schöne, rosafunkelnde Getränk, das nun bis zum letzten Tropfen in den Kehlen dieser Schlingel verschwand ... Ja, nicht genug damit! Wenn sie ihr nur den Wein gestohlen hätten; aber die waren wie Teufel, alle diese kleinen Chorbuben, wenn sie getrunken hatten ... Der eine zog sie an den Ohren, der andere am Schwanz; Quiquet stieg ihr auf den Rücken, Béluguet probierte ihr seine Kappe auf, und nicht einer dieser Bengel bedachte, daß das brave Tier mit einem Stoß ins Kreuz oder einem Huftritt sie alle zum Polar-

l'étoile polaire, et même plus loin... Mais non! On n'est pas pour rien la mule du Pape, la mule des bénédictions et des indulgences... Les enfants avaient beau faire, elle ne se fâchait pas; et ce n'était qu'à Tistet Védène qu'elle en voulait... Celui-là, par exemple, quand elle le sentait derrière elle, son sabot lui démangeait, et vraiment il y avait bien de quoi. Ce vaurien de Tistet lui jouait de si vilains tours! Il avait de si cruelles inventions après boire!...

Est-ce qu'un jour il ne s'avisa pas de la faire monter avec lui au clocheton de la maîtrise, là-haut, tout là-haut, à la pointe du palais!... Et ce que je vous dis là n'est pas un conte, deux cent mille Provençaux l'ont vu. Vous figurez-vous la terreur de cette malheureuse mule, lorsque, après avoir tourné pendant une heure à l'aveuglette dans un escalier en colimaçon et grimpé je ne sais combien de marches, elle se trouva tout à coup sur une plate-forme éblouissante de lumière, et qu'à mille pieds au-dessous d'elle elle aperçut tout un Avignon fantastique, les baraques du marché pas plus grosses que des noisettes, les soldats du Pape devant leur caserne comme des fourmis rouges, et là-bas, sur un fil d'argent, un petit pont microscopique où l'on dansait, où l'on dansait... Ah! pauvre bête! quelle panique! Du cri qu'elle en poussa, toutes les vitres du palais tremblèrent.

– Qu'est-ce qu'il y a? qu'est-ce qu'on lui fait? s'écria le bon Pape en se précipitant sur son balcon.

Tistet Védène était déjà dans la cour, faisant mine de pleurer et de s'arracher les cheveux:

– Ah! grand Saint-Père, ce qu'il y a! Il y a que votre mule... Mon Dieu! qu'allons-nous devenir? Il y a que votre mule est montée dans le clocheton...

– Toute seule???

– Oui, grand Saint-Père, toute seule... Tenez! regardez-la, là-haut... Voyez-vous le bout de ses oreilles qui passe?... On dirait deux hirondelles...

– Miséricorde! fit le pauvre Pape en levant les

stern oder auch noch weiter hätte befördern können ... Doch nein! Man ist nicht umsonst die Mauleselin des Papstes, die Mauleselin der Segnungen und Ablässe ... Mochten die Kinder es noch so toll treiben, sie wurde nicht böse; nur Tistet Védène gegenüber hegte sie Groll ... Den, meiner Seel! wenn sie den hinter sich merkte, juckte sie der Huf, und dazu gab es ja allen Grund. Dieser Taugenichts von einem Tistet spielte ihr so üble Streiche! Er hatte so grausame Einfälle, wenn er getrunken hatte! ...

Kam es ihm nicht eines Tages in den Sinn, die Mauleselin mit sich auf den Glockenturm der Singschule steigen zu lassen, dort hinauf, ganz nach oben, an der äußersten Spitze des Palastes! ... Und was ich Ihnen da sage, ist kein Märchen; zweihunderttausend Provenzalen haben es gesehen. Können Sie sich den Schrecken dieses bedauernswerten Tieres vorstellen, als es eine Stunde lang im Dunkeln auf einer Wendeltreppe im Kreis herumgetappt und ich weiß nicht wieviele Stufen erklommen hatte, dann plötzlich auf einer in gleißendes Licht getauchten Plattform stand und tausend Fuß unter sich ein ganz unwirkliches Avignon erblickte: die Marktbuden nicht größer als Haselnüsse, die päpstlichen Soldaten vor ihrer Kaserne gleich roten Ameisen, und dort unten, über einem Silberfaden, eine winzigkleine Brücke, auf der getanzt und getanzt wurde ... Oh armes Tier! Welche panische Angst! Der Schrei, den es vor Schreck ausstieß, ließ alle Fensterscheiben des Palastes erzittern.

«Was ist los? Was stellt man mit ihr an?» rief der gute Papst und stürzte auf seinen Balkon.

Tistet Védène war schon im Hof und tat, als wolle er weinen und sich die Haare raufen:

«Ach, erhabener Heiliger Vater, Ihr fragt, was los ist! Eure Mauleselin ist ... Ach Gott! Was soll aus uns werden? Eure Mauleselin ist auf den Glockenturm gestiegen ...»

«Ganz allein????»

«Ja Hochheiliger Vater, ganz allein ... Da, schaut sie an, dort oben! ... Seht Ihr die Ohrenspitzen vorlugen? ... Wie zwei Schwalben ...»

«Barmherziger Gott!» rief der arme Papst und erhob die

yeux... Mais elle est donc devenue folle! Mais elle va se tuer... Veux-tu bien descendre, malheureuse!...

Pécaïre! elle n'aurait pas mieux demandé, elle, que de descendre...; mais par où? L'escalier, il n'y fallait pas songer: ça se monte encore, ces choses-là; mais, à la descente, il y aurait de quoi se rompre cent fois les jambes... Et la pauvre mule se désolait, et, tout en rôdant sur la plate-forme avec ses gros yeux pleins de vertige, elle pensait à Tistet Védène:

– Ah! bandit, si j'en réchappe... quel coup de sabot demain matin!

Cette idée de coup de sabot lui redonnait un peu de cœur au ventre; sans cela elle n'aurait pas pu se tenir... Enfin on parvint à la tirer de là-haut; mais ce fut toute une affaire. Il fallut la descendre avec un cric, des cordes, une civière. Et vous pensez quelle humiliation pour la mule d'un pape de se voir pendue à cette hauteur, nageant des pattes dans le vide comme un hanneton au bout d'un fil. Et tout Avignon qui la regardait.

La malheureuse bête n'en dormit pas de la nuit. Il lui semblait toujours qu'elle tournait sur cette maudite plate-forme, avec les rires de la ville au-dessous, puis elle pensait à cet infâme Tistet Védène et au joli coup de sabot qu'elle allait lui détacher le lendemain matin. Ah! mes amis, quel coup de sabot! De Pampérigouste on en verrait la fumée... Or, pendant qu'on lui préparait cette belle réception à l'écurie, savez-vous ce que faisait Tistet Védène? Il descendait le Rhône en chantant sur une galère papale et s'en allait à la cour de Naples avec la troupe de jeunes nobles que la ville envoyait tous les ans près de la reine Jeanne pour s'exercer à la diplomatie et aux belles manières. Tistet n'était pas noble; mais le Pape tenait à le récompenser des soins qu'il avait donnés à sa bête, et principalement de l'activité qu'il venait de déployer pendant la journée du sauvetage.

Augen ... «Aber die ist doch verrückt geworden! Sie bringt sich ja um ... Willst du wohl herunterkommen, du unseliges Geschöpf! ...»

Sie hätte sich, bei Gott! nichts Besseres gewünscht, als hinunterzukommen ...; aber wie? Über die Treppe, daran war nicht zu denken. Hinauf geht so was ja noch, aber hinunter könnte man sich hundertmal die Beine brechen ... Und während die arme Mauleselin, von Verzweiflung gepackt, mit ihren großen, von Schwindel erfüllten Augen auf der Plattform herumtrottete, dachte sie an Tistet Védène:

«Oh, du Bandit! Komme ich heil davon, was gibt es dann für einen Fußtritt morgen früh!»

Dieser Gedanke an einen Tritt pumpte ihr wieder etwas Mut in den Leib, sonst hätte sie sich nicht halten können ... Schließlich gelang es, sie von da oben herunterzuziehen; aber das wurde ein gewaltiges Stück Arbeit. Man mußte sie mit Winde, Seilen und Trage herabholen. Und Sie können sich denken, welche Demütigung es für die Mauleselin eines Papstes bedeutete, sich in dieser Höhe hängen zu sehen und wie ein Maikäfer am Ende eines Fadens im Leeren zu rudern. Und ganz Avignon schaute ihr zu!

Die Unglückliche fand darüber die ganze Nacht keinen Schlaf. Ihr war immer noch, als kreise sie auf jener verdammten Plattform, zum Gelächter der Stadt unten, dann dachte sie an diesen schurkischen Tistet Védène und an den hübschen Huftritt, den sie ihm am nächsten Morgen verpassen wollte. Oh Freunde, was für einen Tritt! Von Pampérigouste aus würde man den Qualm noch sehen ... Wissen Sie aber, was Tistet Védène tat, während dieser schöne Empfang im Stall für ihn vorbereitet wurde? Er fuhr singend in einer päpstlichen Galeere rhoneabwärts und begab sich an den Hof von Neapel, zusammen mit der Gruppe junger Adeliger, die von der Stadt alljährlich zu Königin Johanna gesandt wurde, damit sie in der Kunst der Diplomatie und der feinen Sitten Übung erlangten. Tistet war nicht adlig; aber der Papst legte Wert darauf, ihn für die Dienste zu belohnen, die er seinem Reittier hatte angedeihen lassen, und vor allem für die Tatkraft, die er am Tag der Rettung entfaltet hatte.

C'est la mule qui fut désappointée le lendemain!

– Ah! le bandit! il s'est douté de quelque chose!... pensait-elle en secouant ses grelots avec fureur...; mais c'est égal, va, mauvais! tu le retrouveras au retour, ton coup de sabot..., je te le garde!

Et elle le lui garda.

Après le départ de Tistet, la mule du Pape retrouva son train de vie tranquille et ses allures d'autrefois. Plus de Quiquet, plus de Béluguet à l'écurie. Les beaux jours du vin à la française étaient revenus, et avec eux la bonne humeur, les longues siestes, et le petit pas de gavotte quand elle passait sur le pont d'Avignon. Pourtant, depuis son aventure, on lui marquait toujours un peu de froideur dans la ville. Il y avait des chuchotements sur sa route; les vieilles gens hochaient la tête, les enfants riaient en se montrant le clocheton. Le bon Pape lui-même n'avait plus autant de confiance en son amie, et, lorsqu'il se laissait aller à faire un petit somme sur son dos, le dimanche, en revenant de la vigne, il gardait toujours cette arrière-pensée: «Si j'allais me réveiller là-haut, sur la plate-forme!» La mule voyait cela et elle en souffrait, sans rien dire; seulement, quand on prononçait le nom de Tistet Védène devant elle, ses longues oreilles frémissaient, et elle aiguisait avec un petit rire le fer de ses sabots sur le pavé...

Sept ans se passèrent ainsi; puis, au bout de ces sept années, Tistet Védène revint de la cour de Naples. Son temps n'était pas encore fini là-bas; mais il avait appris que le premier moutardier du Pape venait de mourir subitement en Avignon, et, comme la place lui semblait bonne, il était arrivé en grande hâte pour se mettre sur les rangs.

Quand cet intrigant de Védène entra dans la salle du palais, le Saint-Père eut peine à le reconnaître, tant il avait grandi et pris du corps. Il faut dire aussi que le bon Pape s'était fait vieux de son côté, et qu'il n'y voyait pas bien sans besicles.

Die Mauleselin wurde am nächsten Morgen nicht wenig enttäuscht!

«Ah, der Bandit! Ihm hat etwas geschwant!...» dachte sie und schüttelte wütend ihre Schellen...; «aber das macht nichts, geh nur, du schlechter Kerl! Du wirst ihn bei deiner Rückkehr vorfinden, deinen Huftritt... ich spare ihn dir auf!»

Und sie sparte ihn auf für ihn.

Nach Tistets Abreise fand das Maultier des Papstes wieder zu seiner geruhsamen Lebensweise und seinen früheren Gewohnheiten. Kein Quiquet und kein Béluguet mehr im Stall! Die schönen Tage des süßen, gewürzten Weins waren zurückgekehrt, und mit ihnen die gute Laune, die langen Mittagsschläfchen und der zierliche Gavotteschritt, wenn es über die Brücke von Avignon ging. Dennoch gab man sich in der Stadt dem Maultier gegenüber seit seinem Abenteuer stets ein wenig kühl. Sobald es des Weges kam, wurde getuschelt, die Alten schüttelten den Kopf, die Kinder lachten und zeigten auf den Glockenturm. Selbst der gute Papst hatte nicht mehr so viel Vertrauen in seine Freundin, und gestattete er sich sonntags bei der Rückkehr aus dem Weinberg mal ein Nickerchen im Sattel, hielt er immer diesen Hintergedanken fest: «Wenn ich nun aber auf der Plattform dort oben aufwachte!» Die Mauleselin sah das und litt darunter, ohne etwas zu sagen; nur wenn man den Namen Tistet Védène in ihrer Anwesenheit aussprach, zitterten ihre langen Ohren; sie lachte kurz vor sich hin und wetzte ihr Hufe auf dem Pflaster...

So vergingen sieben Jahre; dann, nach Ablauf dieser sieben Jahre, kam Tistet Védène vom neapolitanischen Hof zurück. Seine Zeit dort unten war noch nicht um; aber er hatte erfahren, daß der Obersenfmeister des Papstes in Avignon plötzlich verstorben sei, und da er dies für einen guten Posten hielt, war er in aller Eile erschienen, um sich unter die Bewerber zu reihen.

Als der hinterlistige Védène den Saal betrat, hatte der Heilige Vater Mühe, ihn wiederzuerkennen, so groß und kräftig war er geworden. Es muß aber auch gesagt werden, daß der gute Papst seinerseits alt geworden war und ohne Augengläser nicht gut sah.

Tistet ne s'intimida pas.

– Comment ! grand Saint-Père, vous ne me reconnaissez plus ? . . . C'est moi. Tistet Védène ! . . .

– Védène ? . . .

– Mais oui, vous savez bien . . . celui qui portait le vin français à votre mule.

– Ah ! oui . . . oui . . . je me rappelle . . . Un bon petit garçonnet, ce Tistet Védène ! . . . Et maintenant, qu'est-ce qu'il veut de nous ?

– Oh ! peu de chose, grand Saint-Père . . . Je venais vous demander . . . A propos, est-ce que vous l'avez toujours, votre mule ? Et elle va bien ? . . . Ah ! tant mieux ! . . . Je venais vous demander la place du premier moutardier qui vient de mourir.

– Premier moutardier, toi ! . . . Mais tu es trop jeune. Quel âge as-tu donc ?

– Vingt ans deux mois, illustre pontife, juste cinq ans de plus que votre mule . . . Ah ! palme de Dieu, la brave bête ! . . . Si vous saviez comme je l'aimais cette mule-là ! . . . comme je me suis langui d'elle en Italie ! . . . Est-ce que vous ne me la laisserez pas voir ?

– Si, mon enfant, tu la verras, fit le bon Pape tout ému . . . Et puisque tu l'aimes tant, cette brave bête, je ne veux plus que tu vives loin d'elle. Dès ce jour, je t'attache à ma personne en qualité de premier moutardier . . . Mes cardinaux crieront, mais tant pis ! j'y suis habitué . . . Viens nous trouver demain, à la sortie de vêpres, nous te remettrons les insignes de ton grade en présence de notre chapitre, et puis . . . je te mènerai voir la mule, et tu viendras à la vigne avec nous deux . . . hé ! hé ! Allons ! va . . .

Si Tistet Védène était content en sortant de la grande salle, avec quelle impatience il attendit la cérémonie du lendemain, je n'ai pas besoin de vous le dire. Pourtant il y avait dans le palais quelqu'un de plus heureux encore et de plus impatient que lui : c'était la mule. Depuis le retour de Védène jusqu'aux vêpres du jour suivant, la terrible bête ne cessa de se

Tistet ließ sich nicht aus der Fassung bringen.

«Wie! Hochheiliger Vater, Ihr erkennt mich nicht mehr?... Ich bin's, Tistet Védène!...»

«Védène?...»

«Aber ja, Ihr wißt doch... der Eurer Mauleselin den Gewürzwein brachte.»

«Ach ja!... ja... ich entsinne mich... Ein gutes Bürschchen, dieser Tistet Védène!... Und was wünscht er jetzt von Uns?»

«Oh, nicht viel, erhabener Heiliger Vater... Ich wollte Euch bitten... Habt Ihr es übrigens noch immer, Euer Maultier? Und geht's ihm gut?... Oh, Gott sei Dank!... Ich wollte Euch um die Stelle des eben verstorbenen Obersenfmeisters bitten.»

«Obersenfmeister, du!... Aber du bist doch zu jung. Wie alt bist du denn?»

«Zwanzig Jahre und zwei Monate, Erlauchter Pontifex, genau fünf Jahre älter als Eure Mauleselin... Oh, allmächtiger Gott, das wackre Tier!... Wenn Ihr wüßtet, wie gern ich sie hatte, diese Mauleselin!... Wie sehr ich in Italien nach ihr geschmachtet habe!... Darf ich sie nicht sehen?»

«Doch, mein Sohn, du wirst sie sehen,» sagte der gute Papst, tief gerührt... «Und da du es so sehr liebst, das brave Tier, will ich nicht, daß du weiterhin fern von ihm lebst. Von heute an verpflichte ich dich als Obersenfmeister... Meine Kardinäle werden zwar aufschreien, aber was soll's! daran bin ich gewöhnt... Hol Uns morgen nach dem Vespergottesdienst ab; Wir werden dir die Zeichen deines Ranges in Gegenwart Unseres Kapitels überreichen, und dann... werde ich dich zum Maultier bringen, und du wirst mit uns beiden in den Weinberg kommen... Na denn! Vorwärts! Weiter!...»

Daß Tistet beim Verlassen des Audienzsaales zufrieden war und mit welcher Ungeduld er die Feierlichkeit des nächsten Tages erwartete, brauche ich Ihnen nicht zu sagen. Dennoch gab es im Palast jemanden, der noch glücklicher und ungeduldiger war als er: die Mauleselin nämlich. Von Védènes Rückkehr bis zur Vesper am folgenden Tag stopfte sich das fürchterliche Tier unablässig mit Hafer voll und wetzte die Hinterhufe

bourrer d'avoine et de tirer au mur avec ses sabots de derrière. Elle aussi se préparait pour la cérémonie...

Et donc, le lendemain, lorsque vêpres furent dites, Tistet Védène fit son entrée dans la cour du palais papal. Tout le haut clergé était là, les cardinaux en robes rouges, l'avocat du diable en velours noir, les abbés de couvent avec leurs petites mitres, les marguilliers de Saint-Agrico, les camails violets de la maîtrise, le bas clergé aussi, les soldats du Pape en grand uniforme, les trois confréries de pénitents, les ermites du mont Ventoux avec leurs mines farouches et le petit clerc qui va derrière en portant la clochette, les frères flagellants nus jusqu'à la ceinture, les sacristains fleuris en robes de juges, tous, tous, jusqu'aux donneurs d'eau bénite, et celui qui allume, et celui qui éteint... il n'y en avait pas un qui manquât... Ah! c'était une belle ordination! Des cloches, des pétards, du soleil, de la musique, et toujours ces enragés de tambourins qui menaient la danse, là-bas, sur le pont d'Avignon...

Quand Védène parut au milieu de l'assemblée, sa prestance et sa belle mine y firent courir un murmure d'admiration. C'était un magnifique Provençal, mais des blonds, avec de grands cheveux frisés au bout et une petite barbe follette qui semblait prise aux copeaux de fin métal tombé du burin de son père, le sculpteur d'or. Le bruit courait que dans cette barbe blonde les doigts de la reine Jeanne avaient quelquefois joué; et le sire de Védène avait bien, en effet, l'air glorieux et le regard distrait des hommes que les reines ont aimés... Ce jour-là, pour faire honneur à sa nation, il avait remplacé ses vêtements napolitains par une jaquette bordée de rose à la provençale, et sur son chaperon tremblait une grande plume d'ibis de Camargue.

Sitôt entré, le premier moutardier salua d'un air galant, et se dirigea vers le haut perron, où le Pape l'attendait pour lui remettre les insignes de son

an der Mauer. Es bereitete sich gleichfalls auf die Feierlichkeit vor...

Und so hielt anderntags, als die Vesper gelesen war, Tistet Védène seinen Einzug in den Hof des Papstpalastes. Die gesamte hohe Geistlichkeit war da, die Kardinäle in roten Gewändern, der Advocatus diaboli in schwarzem Samt, die Klosteräbte mit ihren kleinen Mitren, die Kirchenvorsteher von Saint-Agrico, die violetten Umhänge der Singschule, desgleichen die niedere Geistlichkeit, die päpstlichen Soldaten in Galauniform, die drei Bruderschaften der Büßermönche, die Einsiedler vom Mont Ventoux mit ihren ungeselligen Mienen und der kleine Ministrant, der mit dem Glöckchen hinterdreingeht, die bis zum Gürtel nackten Geißlerbrüder, die blühend ausschauenden Kirchendiener in Richterroben, alle, alle, bis hin zu den Weihwasserspendern, auch der Kerzenanzünder, der Kerzenlöscher... Kein einziger, der gefehlt hätte!... Oh, das war eine schöne Amtseinführung! Glocken, Kanonenschläge, Sonnenschein, Musik, und immer wieder diese leidenschaftlichen Trommler, die unten, auf der Brücke von Avignon, den Tanz anführten...

Als Védène in der Versammlung erschien, ließen seine stattliche Haltung und sein gutes Aussehen ein Murmeln der Bewunderung durch die Reihen laufen. Er war ein prächtiger Provenzale, aber einer von der blonden Sorte, mit kräftigem, langem, an den Enden gekräuseltem Haar und einem kleinen Flaumbart, der aus den Spänen feinen Metalls zu stammen schien, das vom Stichel seines Vaters, des Goldschmieds, abgefallen war. Es ging das Gerücht, in diesem Bart hätten mitunter die Finger der Königin Johanna gespielt; und der Herr de Védène hatte in der Tat die sieghafte Miene und den zerstreuten Blick der Männer, die von Königinnen geliebt wurden... An diesem Tag hatte er zu Ehren seines Volkes seine neapolitanische Kleidung mit einer nach provenzalischer Art rosaeingefaßten Jacke vertauscht, und auf seiner Kappe wippte eine große Ibisfeder aus der Camargue.

Sobald der Obersenfmeister in den Hof gekommen war, grüßte er verbindlich und ging auf die hohe Freitreppe zu, wo der Papst ihn erwartete, um ihm die Insignien seines Amtes zu

grade: la cuiller de buis jaune et l'habit de safran. La mule était au bas de l'escalier, toute harnachée et prête à partir pour la vigne... Quand il passa près d'elle, Tistet Védène eut un bon sourire et s'arrêta pour lui donner deux ou trois petites tapes amicales sur le dos, en regardant du coin de l'œil si le Pape le voyait. La position était bonne... La mule prit son élan:

– Tiens! attrape, bandit! Voilà sept ans que je te le garde!

Et elle vous lui détacha un coup de sabot si terrible, si terrible, que de Pampérigouste même on en vit la fumée, un tourbillon de fumée blonde où voltigeait une plume d'ibis; tout ce qui restait de l'infortuné Tistet Védène!...

Les coups de pied de mule ne sont pas aussi foudroyants d'ordinaire; mais celle-ci était une mule papale; et puis, pensez donc! elle le lui gardait depuis sept ans... Il n'y a pas de plus bel exemple de rancune ecclésiastique.

verleihen: den Löffel aus gelbem Buchsbaum und das safrangelbe Gewand. Die Mauleselin stand am Fuß der Treppe, fertig aufgezäumt und bereit zum Ausritt in den Weinberg ... Als Tistet Védène an ihr vorbeiging, lächelte er und blieb stehen, um sie zwei-, dreimal freundschaftlich auf den Rücken zu tätscheln; dabei beobachtete er mit einem Blick aus dem Augenwinkel, ob der Papst es auch sähe. Die Stellung war gut ... Die Mauleselin holte aus:

«Da hast du was, du Halunke! Sieben Jahre habe ich dir das aufgehoben!»

Und sie versetzte ihm einen so fürchterlichen, einen so gewaltigen Tritt, daß man sogar von Pampérigouste aus den Rauch sah, einen Wirbel hellen Rauches, in dem eine Ibisfeder herumschwirrte – alles, was von dem unglücklichen Tistet Védène noch übrig blieb ...

Für gewöhnlich sind die Huftritte, die ein Maultier austeilt, nicht derart vernichtend; aber hier handelte es sich um ein päpstliches Maultier; und außerdem, bedenken Sie! sieben Jahre lang hat es den Tritt für ihn aufgespart ... Es gibt kein schöneres Beispiel für die Rachsucht der Kirche.

Le curé de Cucugnan

Tous les ans, à la Chandeleur, les poètes provençaux publient en Avignon un joyeux petit livre rempli jusqu'aux bords de beaux vers et de jolis contes. Celui de cette année m'arrive à l'instant, et j'y trouve un adorable fabliau que je vais essayer de vous traduire en l'abrégeant un peu... Parisiens, tendez vos mannes. C'est de la fine fleur de farine provençale qu'on va vous servir cette fois...

L'abbé Martin était curé... de Cucugnan.

Bon comme le pain, franc comme l'or, il aimait paternellement ses Cucugnanais; pour lui, son Cucugnan aurait été le paradis sur terre, si les Cucugnanais lui avaient donné un peu plus de satisfaction. Mais, hélas! les araignées filaient dans son confessionnal, et, le beau jour de Pâques, les hosties restaient au fond de son saint-ciboire. Le bon prêtre en avait le cœur meurtri, et toujours il demandait à Dieu la grâce de ne pas mourir avant d'avoir ramené au bercail son troupeau dispersé.

Or, vous allez voir que Dieu l'entendit.

Un dimanche, après l'évangile, M. Martin monta en chaire.

– Mes frères, dit-il, vous me croirez si vous voulez: l'autre nuit, je me suis trouvé, moi misérable pécheur, à la porte du paradis.

«Je frappai: saint Pierre m'ouvrit!

«– Tiens! c'est vous, mon brave monsieur Martin, me fit-il; quel bon vent...? et qu'y a-t-il pour votre service?

«– Beau saint Pierre, vous qui tenez le grand livre et la clef, pourriez-vous me dire, si je ne suis pas trop curieux, combien vous avez de Cucugnanais en paradis?

Der Pfarrer von Cucugnan

Alljährlich zu Lichtmeß geben die provenzalischen Dichter in Avignon ein lustiges Büchlein heraus, das randvoll ist mit schönen Gedichten und hübschen Erzählungen. Das diesjährige habe ich soeben bekommen, und ich finde darin eine herrliche Schnurre, die ich Euch jetzt, etwas verkürzt, zu übersetzen versuche... Pariser, reicht Eure Körbe her! Diesmal werdet Ihr mit dem allerfeinsten provenzalischen Mehl bedient...

Abbé Martin war Pfarrer... von Cucugnan.

Herzensgut und lauter wie Gold, liebte er seine Cucugnaner wie ein Vater; für ihn wäre sein Cucugnan das Paradies auf Erden gewesen, hätten ihm die Cucugnaner ein bißchen mehr Anlaß zur Zufriedenheit gegeben. Aber ach! In seinem Beichtstuhl woben die Spinnen ihre Netze, und am Ostertag blieben die Hostien in Hochwürdens Ziborium liegen. Dem guten Pfarrer tat das in der Seele weh, und immer wieder erflehte er von Gott die Gnade, nicht sterben zu müssen, ehe er seine verstreute Herde in den Schoß der Kirche zurückgeführt hätte.

Nun, Ihr werdet sehen, daß Gott ihn erhörte.

Eines Sonntags nach dem Evangelium stieg Pfarrer Martin auf die Kanzel.

«Liebe Brüder,» sagte er, «ob Ihr mir glauben werdet oder nicht: kürzlich stand ich nachts an der Pforte des Paradieses, ich elender Sünder.

Ich klopfte an: der heilige Petrus öffnete mir.

‹Nanu, Ihr seid's, mein wackerer Herr Martin.› sagte er; ‹was für ein glücklicher Zufall führt Euch denn...? Und was kann ich für Euch tun?›

‹Guter heiliger Petrus, der Ihr Hauptbuch und Schlüssel verwaltet, könntet Ihr mir sagen, – wenn es nicht zu viel der Neugier meinerseits ist, – wieviele Cucugnaner Ihr im Paradiese habt?›

«– Je n'ai rien à vous refuser, monsieur Martin; asseyez-vous, nous allons voir la chose ensemble.

«Et saint Pierre prit son gros livre, l'ouvrit, mit ses besicles:

«– Voyons un peu: Cucugnan, disons-nous. Cu... Cu... Cucugnan. Nous sommes. Cucugnan... Mon brave monsieur Martin, la page est toute blanche. Pas une âme... Pas plus de Cucugnanais que d'arêtes dans une dinde.

«– Comment! Personne de Cucugnan ici? Personne? Ce n'est pas possible! Regardez mieux...

«– Personne, saint homme. Regardez vous-même, si vous croyez que je plaisante.

«Moi, pécaïre! je frappais de pieds, et, les mains jointes, je criais miséricorde. Alors, saint Pierre:

«– Croyez-moi, monsieur Martin, il ne faut pas ainsi vous mettre le cœur à l'envers, car vous pourriez en avoir quelque mauvais coup de sang. Ce n'est pas votre faute, après tout. Vos Cucugnanais, voyez-vous, doivent faire à coup sûr leur petite quarantaine en purgatoire.

«– Ah! par charité, grand saint Pierre! faites que je puisse au moins les voir et les consoler.

«– Volontiers, mon ami... tenez, chaussez vite ces sandales, car les chemins ne sont pas beaux de reste... Voilà qui est bien... Maintenant, cheminez droit devant vous. Voyez-vous là-bas, au fond, en tournant? Vous trouverez une porte d'argent toute constellée de croix noires... à main droite... Vous frapperez, on vous ouvrira... Adessias! Tenez-vous sain et gaillardet.

«Et je cheminai... je cheminai! Quelle battue! j'ai la chair de poule, rien que d'y songer. Un petit sentier, plein de ronces, d'escarboucles qui luisaient et de serpents qui sifflaient, m'amena jusqu'à la porte d'argent.

«– Pan! pan!

‹Ich brauche Euch nichts abzuschlagen, Herr Martin; setzt Euch, wir wollen die Sache gemeinsam durchgehen.›

Und der heilige Petrus nahm sein dickes Buch, öffnete es und setzte die Augengläser auf.

‹Schauen wir doch mal nach: Cucugnan, nicht wahr? Cu... Cu... Cucugnan. Hier, Cucugnan... Mein wackerer Herr Martin, die Seite ist ganz leer. Keine einzige Seele... Nicht mehr Cucugnaner als Gräten in einer Pute.›

‹Wie? Niemand aus Cucugnan hier? Niemand? Das ist doch nicht möglich! Seht genauer nach!...›

‹Niemand, frommer Mann. Schaut selber nach, wenn Ihr meint, ich scherze!›

‹Weh mir!› Ich stampfte mit den Füßen und hob mit gefalteten Händen ein Wehklagen an. Da sagte der heilige Petrus:

‹Glaubt mir, Herr Martin, Ihr dürft Euch das nicht so zu Herzen nehmen, denn sonst könnte Euch der Schlag treffen. Das ist schließlich nicht Eure Schuld.

Seht Ihr, Eure Cucugnaner müssen zu ihrer Läuterung sicherlich eine kleine Weile im Fegefeuer bleiben.›

‹Ach, großer Sankt Petrus, habt Erbarmen! Verschafft mir die Möglichkeit, sie wenigstens zu sehen und zu trösten!›

‹Gerne, mein Freund... Hier, zieht rasch diese Sandalen an, denn die weiteren Wege sind nicht schön... So ist's gut... Geht jetzt immer geradeaus!

Seht Ihr dort, ganz hinten, die Wegbiegung? Da werdet Ihr eine silberne, mit schwarzen Kreuzen übersäte Pforte finden... rechter Hand... Ihr klopft, man wird Euch auftun... Gott befohlen! Bleibt gesund und guten Mutes!›

Und ich wanderte und wanderte! Was für eine Schinderei! Wenn ich bloß daran denke, kriege ich eine Gänsehaut. Auf einem schmalen Weg – überall Dornengestrüpp, leuchtende Karfunkelsteine, zischende Schlangen – gelangte ich zur silbernen Pforte.

‹Bum! Bum!›

«– Qui frappe ? me fait une voix rauque et dolente.

«– Le curé de Cucugnan.

«– De . . . ?

«– De Cucugnan.

«– Ah ! . . . Entrez.

«J'entrai. Un grand bel ange, avec des ailes sombres comme la nuit, avec une robe resplendissante comme le jour, avec une clef de diamant pendue à sa ceinture, écrivait, cra-cra, dans un grand livre plus gros que celui de saint Pierre . . .

«– Finalement, que voulez-vous et que demandez-vous ? dit l'ange.

«– Bel ange de Dieu, je veux savoir, – je suis bien curieux peut-être, – si vous avez ici les Cucugnanais.

«– Les ? . . .

«– Les Cucugnanais, les gens de Cucugnan . . . que c'est moi qui suis leur prieur.

«– Ah ! l'abbé Martin, n'est-ce pas ?

«– Pour vous servir, monsieur l'ange.

«– Vous dites donc Cucugnan . . .

«Et l'ange ouvre et feuillette son grand livre, mouillant son doigt de salive pour que le feuillet glisse mieux . . .

«– Cucugnan, dit-il en poussant un long soupir . . . Monsieur Martin, nous n'avons en purgatoire personne de Cucugnan.

«– Jésus ! Marie ! Joseph ! personne de Cucugnan en purgatoire ! O grand Dieu ! où sont-ils donc ?

«– Eh ! saint homme, ils sont en paradis. Où diantre voulez-vous qu'ils soient ?

«– Mais j'en viens, du paradis . . .

«– Vous en venez ! ! . . . Eh bien ?

«– Eh bien ! ils n'y sont pas ! . . . Ah ! bonne mère des anges ! . . .

«– Que voulez-vous, monsieur le curé ? s'ils ne sont ni en paradis ni en purgatoire, il n'y a pas de milieu, ils sont . . .

‹Wer da?› fragte mich eine rauhe, klagende Stimme.
‹Der Pfarrer von Cucugnan.›
‹Von . . .?›
‹Von Cucugnan.›
‹Aha! . . . Kommt herein!›
Ich trat ein. Ein großer, schöner Engel, mit Flügeln so düster wie die Nacht, einem Gewand, so strahlend wie der Tag, mit einem diamantenen Schlüssel am Gürtel, schrieb krakelig etwas in ein großes Buch, das dicker war als das des heiligen Petrus . . .
‹Na, was wollt Ihr und was ist Euer Begehr?› sagte der Engel.
‹Schöner Engel Gottes, ich möchte wissen, – vielleicht ist es sehr neugierig von mir, – ob Ihr die Leute aus Cucugnan hier habt.›
‹Wen? . . .›
‹Die Cucugnaner, die Leute aus Cucugnan . . . Ich bin nämlich ihr Seelsorger.›
‹Aha! Der Abbé Martin. Stimmt's?›
‹Zu Diensten, Herr Engel.›

‹Cucugnan also, sagt Ihr . . .›
Und der Engel schlägt sein großes Buch auf und blättert darin, feuchtet seinen Finger mit Speichel an, damit das Blatt besser gleitet . . .
‹Cucugnan,› sagt er und stößt einen langen Seufzer aus . . . ‹Herr Martin, wir haben im Fegefeuer niemanden aus Cucugnan.›
‹Jesus, Maria und Josef! Niemand aus Cucugnan im Fegefeuer! Oh großer Gott! Wo sind sie denn dann?›
‹Nun, Mann Gottes, sie sind im Paradies. Wo, zum Teufel, sollen sie sonst sein?›
‹Aber von dort komme ich ja, vom Paradies . . .›
‹Ihr kommt von dort!! . . . Na und?›
‹Na und: dort sind sie nicht! . . . Ach, gütige Mutter der Engel! . . .›
‹Was soll das, Herr Pfarrer? Wenn sie weder im Paradies noch im Fegefeuer sind, dazwischen gibt es nichts, dann sind sie . . .›

«– Sainte croix ! Jésus, fils de David ! Aï ! aï ! aï ! est-il possible ? . . . Serait-ce un mensonge du grand saint Pierre ? . . . Pourtant je n'ai pas entendu chanter le coq ! . . . Aï ! pauvres nous ! comment irai-je en paradis si mes Cucugnanais n'y sont pas ?

«– Écoutez, mon pauvre monsieur Martin, puisque vous voulez, coûte que coûte, être sûr de tout ceci, et voir de vos yeux de quoi il retourne, prenez ce sentier, filez en courant, si vous savez courir . . . Vous trouverez, à gauche, un grand portail. Là, vous vous renseignerez sur tout. Dieu vous le donne !

«Et l'ange ferme la porte.

«C'était un long sentier tout pavé de braise rouge. Je chancelais comme si j'avais bu ; à chaque pas, je trébuchais ; j'étais tout en eau, chaque poil de mon corps avait sa goutte de sueur, et je haletais de soif . . . Mais, ma foi, grâce aux sandales que le bon saint Pierre m'avait prêtées, je ne me brûlai pas les pieds.

«Quand j'eus fait assez de faux pas clopin-clopant, je vis à ma main gauche une porte . . . non, un portail, un énorme portail, tout bâillant, comme la porte d'un grand four. Oh ! mes enfants, quel spectacle ! Là on ne demande pas mon nom ; là, point de registre. Par fournées et à pleine porte, on entre là, mes frères, comme le dimanche vous entrez au cabaret.

«Je suais à grosses gouttes, et pourtant j'étais transi, j'avais le frisson. Mes cheveux se dressaient. Je sentais le brûlé, la chair rôtie, quelque chose comme l'odeur qui se répand dans notre Cucugnan quand Éloy, le maréchal, brûle pour la ferrer la botte d'un vieil âne. Je perdais haleine dans cet air puant et embrasé ; j'entendais une clameur horrible, des gémissements, des hurlements et des jurements.

«– Eh bien ? entres-tu ou n'entres-tu pas, toi ? – me fait, en me piquant de sa fourche, un démon cornu.

‹Heiliges Kreuz! Jesus, Sohn Davids! O weh! O weh! Ist's möglich?... Sollte das eine Lüge des großen heiligen Petrus sein?... Ich habe doch den Hahn nicht krähen hören!... Weh uns! Wir Armen! Wie soll ich denn ins Paradies kommen, wenn meine Cucugnaner nicht dort sind?›

‹Hört zu, mein armer Herr Martin! Da Ihr über das alles unbedingt Gewißheit haben wollt, und da Ihr mit eigenen Augen sehen wollt, was los ist, schlagt diesen Weg da ein und lauft, wenn Ihr laufen könnt!... Ihr werdet zur Linken an ein großes Tor gelangen. Dort erkundigt Ihr Euch nach allem. Geb's Gott!›

Und der Engel schloß die Pforte.

Es war ein langer, ganz mit glühender Kohle ausgelegter Pfad. Ich torkelte, als wenn ich betrunken wäre; bei jedem Schritt stolperte ich; ich war patschnaß, an jedem Haar meines Körpers hing ein Schweißtropfen, und vor Durst keuchte ich... Aber wahrhaftig! Dank den Sandalen, die mir der gute heilige Petrus geliehen hatte, verbrannte ich mir nicht die Füße.

Als ich eine gute Weile dahingestolpert war, sah ich zur Linken eine Tür... nein, ein Tor, ein riesiges Tor, sperrangelweit offen wie die Tür eines großen Backofens. O Kinder, was für ein Schauspiel! Hier werde ich nicht nach meinem Namen gefragt; hier gibt es keine Meldeliste. Schubweise geht es durch die offene Tür hinein, meine Brüder, so wie Ihr am Sonntag in die Kneipe geht.

Mir kamen dicke Schweißtropfen, und doch fror mich; ich hatte Schüttelfrost. Die Haare standen mir zu Berge. Es roch brandig, nach angesengtem Fleisch, etwa vergleichbar dem Geruch, der unser Cucugnan durchzieht, wenn Eligius, der Schmied, das Hufeisen heiß macht, um einen alten Esel zu beschlagen.

Mir blieb der Atem weg in dieser stinkenden, glühendheißen Luft; ich hörte ein fürchterliches Geschrei, Stöhnen, Heulen und Fluchen.

‹Na! Kommst du herein oder nicht, du?› fährt mich ein gehörnter Teufel an und sticht mich mit seiner Gabel.

«– Moi? Je n'entre pas. Je suis un ami de Dieu.

«– Tu es un ami de Dieu... Eh! b... de teigneux! que viens-tu faire ici?...

«– Je viens... Ah! ne m'en parlez pas, que je ne puis plus me tenir sur mes jambes... Je viens... je viens de loin... humblement vous demander... si... si, par coup de hasard... vous n'auriez pas ici... quelqu'un... quelqu'un de Cucugnan...

«– Ah! feu de Dieu! tu fais la bête, toi, comme si tu ne savais pas que tout Cucugnan est ici. Tiens, laid corbeau, regarde, et tu verras comme nous les arrangeons ici, tes fameux Cucugnanais...

«Et je vis, au milieu d'un épouvantable tourbillon de flamme:

«Le long Coq-Galine, – vous l'avez tous connu, mes frères, – Coq-Galine, qui se grisait si souvent, et si souvent secouait les puces à sa pauvre Clairon.

«Je vis Catarinet... cette petite gueuse... avec son nez en l'air... qui couchait toute seule à la grange... Il vous en souvient, mes drôles!... Mais passons, j'en ai trop dit.

«Je vis Pascal Doigt-de-Poix qui faisait son huile avec les olives de M. Julien.

«Je vis Babet la glaneuse, qui, en glanant, pour avoir plus vite noué sa gerbe, puisait à poignées aux gerbiers.

«Je vis maître Grapasi, qui huilait si bien la roue de sa brouette.

«Et Dauphine, qui vendait si cher l'eau de son puits.

«Et le Tortillard, qui, lorsqu'il me rencontrait portant le bon Dieu, filait son chemin, la barrette sur la tête et la pipe au bec... et fier comme Artaban... comme s'il avait rencontré un chien.

«Et Coulau avec sa Zette, et Jacques, et Pierre, et Toni...»

‹Ich, ich gehe nicht hinein. Ich bin ein Freund Gottes.›

‹Du bist ein Freund Gottes . . . Na, du räudiges Biest! Was willst du dann hier? . . .›

‹Ich komme von . . . Ach, lassen wir das! Ich kann mich ohnehin nicht mehr auf den Beinen halten . . . Ich komme von . . . ich komme von weither, . . . um Euch untertänig zu fragen, . . . ob . . . ob . . . Ihr . . . . . rein zufällig . . . nicht irgendjemand . . . jemand aus Cucugnan hier hättet . . .›

‹O Herrgottsfeuer! Du stellst dich aber dämlich an, du! Als wüßtest du nicht, daß ganz Cucugnan hier ist. Da, häßlicher Rabe, schau dich um, dann siehst du, wie wir sie hier bearbeiten, deine sauberen Cucugnaner . . .›

Und mitten in einem ungeheuerlichen Flammenwirbel sah ich:

Den langen Galine-Gockel, – Ihr habt ihn alle gekannt, meine Brüder, – Galine-Gockel, der sich oft betrank und so oft sein armes Klärchen windelweich prügelte.

Ich sah Kätchen . . . jene kleine Schlampe . . . Fräulein Guckindieluft, . . . die ganz alleine in der Scheune schlief . . . Ihr erinnert Euch, ihr Schlingel! . . . Aber lassen wir das! Ich habe schon zu viel gesagt.

Ich sah Pascal Pechfinger, der sein Öl aus Herrn Juliens Oliven machte.

Ich sah Babett, die Ährenleserin, die bei der Nachlese ganze Büschel aus den Garben zog, damit sie ihr eigenes Bündel schneller beisammen hatte.

Ich sah Meister Grapasi, der das Rad seines Schubkarrens so gut schmierte.

Und Dauphine, die das Wasser aus ihrem Brunnen so teuer verkaufte.

Und den Krummen, der, Mütze auf dem Kopf und Pfeife im Schnabel, stolz wie ein Spanier seines Weges ging, wenn er mir mit dem Allerheiligsten begegnete, . . . so, als wäre er einem Hund begegnet.

Und Coulau mit seiner Susi, und Jakob und Peter und Toni . . .»

Ému, blême de peur, l'auditoire gémit, en voyant, dans l'enfer tout ouvert, qui son père et qui sa mère, qui sa grand'mère et qui sa sœur...

«– Vous sentez bien, mes frères, reprit le bon abbé Martin, vous sentez bien que ceci ne peut pas durer. J'ai charge d'âmes, et je veux, je veux vous sauver de l'abîme où vous êtes tous en train de rouler tête première. Demain je me mets à l'ouvrage, pas plus tard que demain. Et l'ouvrage ne manquera pas ! Voici comment je m'y prendrai. Pour que tout se fasse bien, il faut tout faire avec ordre. Nous irons rang par rang, comme à Jonquières quand on danse.

«Demain lundi, je confesserai les vieux et les vieilles. Ce n'est rien.

«Mardi, les enfants. J'aurai bientôt fait.

«Mercredi, les garçons et les filles. Cela pourra être long.

«Jeudi, les hommes. Nous couperons court.

«Vendredi, les femmes. Je dirai : Pas d'histoires !

«Samedi, le meunier !... Ce n'est pas trop d'un jour pour lui tout seul...

«Et, si dimanche nous avons fini, nous serons bien heureux.

«Voyez-vous, mes enfants, quand le blé est mûr, il faut le couper ; quand le vin est tiré, il faut le boire. Voilà assez de linge sale, il s'agit de le laver, et de le bien laver.

«C'est la grâce que je vous souhaite. *Amen!*

Ce qui fut dit fut fait. On coula la lessive.

Depuis ce dimanche mémorable, le parfum des vertus de Cucugnan se respire à dix lieues à l'entour.

Et le bon pasteur M. Martin, heureux et plein d'allégresse, a rêvé l'autre nuit que, suivi de tout son
90 troupeau, il gravissait, en resplendissante procession,
91 au milieu des cierges allumés, d'un nuage d'encens

Aufgewühlt und schreckensbleich stöhnten die Zuhörer, als der eine seinen Vater, ein anderer seine Mutter, ein dritter seine Großmutter, ein weiterer seine Schwester im aufgerissenen Höllenschlund erblickte . . .

«Ihr seht wohl ein, meine Brüder,» hob der gute Abbé wieder an, «Ihr seht wohl ein, daß es nicht so bleiben kann. Mir sind die Seelen anvertraut, und ich will Euch unbedingt vor dem Abgrund retten, in den Ihr Euch alle kopfüber zu stürzen anschickt. Morgen gehe ich ans Werk, gleich morgen. Und an Arbeit wird es nicht mangeln! Folgendermaßen werde ich dabei verfahren. Es muß nämlich, damit alles gelingt, alles seine rechte Ordnung haben. Wir werden reihenweise vorgehen, wie in Jonquières beim Tanz.

Morgen, Montag, werde ich den Alten beiderlei Geschlechts die Beichte abnehmen. Das ist nichts.

Dienstag, den Kindern. Damit werde ich bald fertig sein.

Mittwoch, den Burschen und Mädchen. Das kann lange dauern.

Donnerstag, den Männern. Wir werden es kurz machen.

Freitag, den Frauen. Ich werde sagen: Keine langen Geschichten!

Samstag, dem Müller! . . . Ein Tag für ihn allein ist nicht zu viel . . .

Und wenn wir am Sonntag fertig sind, können wir sehr glücklich sein.

Seht Ihr, meine lieben Kinder, wenn das Korn reif ist, muß man es schneiden; wenn der Wein abgezogen ist, muß man ihn trinken. Schmutzige Wäsche ist genug da; es geht darum, sie zu waschen, und zwar gründlich.

Die Gnade Gottes sei mit Euch! Amen.»

Gesagt, getan. Die Wäsche wurde eingeweicht.

Seit jenem denkwürdigen Sonntag riecht man Cucugnans Tugendhaftigkeit auf zehn Meilen im Umkreis.

Und Herr Martin, der gute Seelenhirte, hat neulich nachts glücklich und voller Freude geträumt, er ziehe, gefolgt von seiner ganzen Herde, in strahlender Prozession, inmitten von brennenden Kerzen, einer duftenden Weihrauchwolke und

qui embaumait et des enfants de chœur qui chantaient *Te Deum*, le chemin éclairé de la cité de Dieu.

Et voilà l'histoire du curé de Cucugnan, telle que m'a ordonné de vous le dire ce grand gueusard de Roumanille, qui la tenait lui-même d'un autre bon compagnon.

Tedeum singenden Chorkindern, den erhellten Weg hinauf zur Stadt Gottes.

Soweit die Geschichte des Pfarrers von Cucugnan, wie sie mir jener Erzstrolch Roumanille Euch zu erzählen aufgetragen hat, der sie selbst wieder von einem anderen guten Kumpanen gehört hatte.

Une lettre, père Azan?

– Oui, monsieur... ça vient de Paris.

Il était tout fier que ça vînt de Paris, ce brave père Azan... Pas moi. Quelque chose me disait que cette Parisienne de la rue Jean-Jacques, tombant sur ma table à l'improviste et de si grand matin, allait me faire perdre toute ma journée. Je ne me trompais pas, voyez plutôt:

Il faut que tu me rendes un service, mon ami. Tu vas fermer ton moulin pour un jour et t'en aller tout de suite à Eyguières... Eyguières est un gros bourg à trois ou quatre lieues de chez toi, – une promenade. En arrivant, tu demanderas le couvent des Orphelines. La première maison après le couvent est une maison basse à volets gris avec un jardinet derrière. Tu entreras sans frapper, – la porte est toujours ouverte, – et, en entrant, tu crieras bien fort: «Bonjour, braves gens! Je suis l'ami de Maurice...» Alors, tu verras deux petits vieux, oh! mais vieux, vieux, archivieux, te tendre les bras du fond de leurs grands fauteuils, et tu les embrasseras de ma part, avec tout ton cœur, comme s'ils étaient à toi.

Puis vous causerez; ils te parleront de moi, rien que de moi; ils te raconteront mille folies que tu écouteras sans rire... tu ne riras pas, hein?... Ce sont mes grands-parents, deux êtres dont je suis toute la vie et qui ne m'ont pas vu depuis dix ans... Dix ans, c'est long! Mais que veux-tu? moi, Paris me tient; eux, c'est le grand âge... Ils sont si vieux, s'ils venaient me voir, ils se casseraient en route... Heureusement, tu es là-bas,
94 *mon cher meunier, et, en t'embrassant, les pauvres*
95 *gens croiront m'embrasser un peu moi-même... Je*

Die Alten

«Ein Brief, Vater Azan?»

«Ja, Herr, . . . aus Paris.»

Er war ganz stolz, der gute Vater Azan, daß der Brief aus Paris kam . . . Ich war's nicht. Irgend etwas sagte mir, dieses Vögelchen aus der Pariser rue Saint-Jacques, das mir da unvermutet und zu so früher Stunde auf den Tisch flatterte, würde mich meinen ganzen Tag kosten. Ich täuschte mich nicht; sehen Sie selber:

Lieber Freund, Du mußt mir einen Gefallen tun. Du wirst für einen Tag Deine Mühle schließen und Dich sofort nach Eyguières aufmachen . . . Eyguières ist ein großer Marktflecken, drei, vier Meilen von Deinem Wohnsitz entfernt, – ein Spaziergang. Wenn Du ankommst, fragst Du nach dem Stift mit Waisenhaus. Das erste Haus nach dem Stift ist ein niedriger Bau mit grauen Fensterläden und einem Gärtchen an der Rückseite. Du gehst hinein, ohne anzuklopfen, – die Tür ist stets offen, – und rufst wärenddessen recht laut: «Guten Tag, Ihr lieben Leute! Ich bin der Freund von Maurice . . .» Dann wirst Du zwei alte Leutchen sehen, ach! uralte, sage ich Dir, steinalte Leutchen, die Dir aus der Tiefe ihrer Sessel die Arme entgegenstrecken, und Du wirst sie in meinem Namen umarmen, recht herzlich, als wären sie Deine eigenen Verwandten. Dann plaudert Ihr; sie werden mit Dir über mich sprechen, ausschließlich über mich; sie werden Dir tausend Albernheiten erzählen, die Du Dir anhörst, ohne zu lachen . . . Du wirst nicht lachen, verstanden? . . . Die beiden sind meine Großeltern, zwei Wesen, deren ein und alles ich bin und die mich seit zehn Jahren nicht gesehen haben . . . Zehn Jahre, eine lange Zeit! Aber was soll's? Mich, mich hält Paris fest; sie das hohe Alter . . . Sie sind so alt, daß sie, wenn sie mich besuchten, unterwegs zusammenbrächen . . . Zum Glück, mein lieber Müller, bist Du dort unten, und wenn die armen Leutchen Dich umarmen, werden sie meinen, ein wenig mich selbst zu um-

leur ai si souvent parlé de nous et de cette bonne amitié dont…

Le diable soit de l'amitié! Justement ce matin-là il faisait un temps admirable, mais qui ne valait rien pour courir les routes: trop de mistral et trop de soleil, une vraie journée de Provence. Quand cette maudite lettre arriva, j'avais déjà choisi mon *cagnard* (abri) entre deux roches, et je rêvais de rester là tout le jour, comme un lézard, à boire de la lumière, en écoutant chanter les pins… Enfin, que voulez-vous faire? Je fermai le moulin en maugréant, je mis la clef sous la chatière. Mon bâton, ma pipe, et me voilà parti.

J'arrivai à Eyguières vers deux heures. Le village était désert, tout le monde aux champs. Dans les ormes du cours, blancs de poussière, les cigales chantaient comme en pleine Crau. Il y avait bien sur la place de la mairie un âne qui prenait le soleil, un vol de pigeons sur la fontaine de l'église; mais personne pour m'indiquer l'orphelinat. Par bonheur une vieille fée m'apparut tout à coup, accroupie et filant dans l'encoignure de sa porte; je lui dis ce que je cherchais; et comme cette fée était très puissante, elle n'eut qu'à lever sa quenouille: aussitôt le couvent des Orphelines se dressa devant moi comme par magie… C'était une grande maison maussade et noire, toute fière de montrer au-dessus de son portail en ogive une vieille croix de grès rouge avec un peu de latin autour. A côté de cette maison, j'en aperçus une autre plus petite. Des volets gris, le jardin derrière… Je la reconnus tout de suite, et j'entrai sans frapper.

Je reverrai toute ma vie ce long corridor frais et calme, la muraille peinte en rose, le jardinet qui tremblait au fond à travers un store de couleur claire, et sur tous les panneaux des fleurs et des violons fanés. Il me semblait que j'arrivais chez quelque vieux bailli du temps de Sedaine… Au bout du couloir, sur

armen... Ich habe ihnen so oft von uns erzählt und von dieser guten Freundschaft, deren...

Zum Teufel mit der Freundschaft! Ausgerechnet an diesem Morgen war herrliches Wetter, das aber nicht zum Tippeln auf den Landstraßen taugte: ein zu starker Mistral und zuviel Sonne – ein echter Provencetag. Als dieser verdammte Brief kam, hatte ich mir schon meinen geschützten Winkel zwischen zwei Felsen ausgesucht und träumte davon, wie eine Eidechse den ganzen Tag dort zu bleiben, Licht zu trinken und dem Gesang der Pinien zu lauschen... Doch was blieb mir schließlich übrig? Fluchend schloß ich die Mühle ab und legte den Schlüssel unter das Katzenloch. Stock, Pfeife, – und weg war ich.

Gegen zwei Uhr kam ich in Eyguières an. Das Dorf war menschenleer, alles auf den Feldern. In den vor Staub weißen Ulmen an der Hauptstraße zirpten die Zikaden wie mitten in der Ebene von Crau. Wohl sonnte sich ein Esel auf dem Rathausplatz, wohl saß ein Taubenschwarm auf dem Brunnen an der Kirche, doch war niemand da, der mir gesagt hätte, wo das Waisenhaus ist. Zum Glück erschien mir plötzlich eine alte Fee, die in ihrer Türnische hockte und spann. Ich sagte ihr, was ich suchte; und da diese Fee sehr mächtig war, brauchte sie nur ihre Spindel zu heben: wie durch Zauber stand alsbald das Stift vor mir...

Es war ein großer, unfreundlicher, düsterer Bau, der sich viel darauf zugute hielt, daß er über seinem Spitzbogenportal ein altes Kreuz aus rotem Sandstein mit etwas Latein herum aufweisen konnte. Neben diesem Haus gewahrte ich noch eines, ein kleineres. Graue Fensterläden, Garten an der Rückseite... Ich erkannte es sofort und trat ein, ohne anzuklopfen.

Mein ganzes Leben werde ich diesen langen, kühlen und stillen Flur immer wieder vor mir sehen, die rosa getünchte Wand, das Gärtchen, das hinten durch einen hellen Vorhang schimmerte, und auf allen Wandfeldern verblichene Blumen- und Geigenmuster. Mir war, als käme ich zu einem alten Vogt aus der Zeit Sedaines. ... Am Ende des Flurs hörte

la gauche, par une porte entrouverte on entendait le tic tac d'une grosse horloge et une voix d'enfant, mais d'enfant à l'école, qui lisait en s'arrêtant à chaque syllabe: A... lors... saint... I... ré... née... s'é... cri... a... Je... suis... le... fro... ment... du... Seigneur... Il... faut... que... je... sois... mou... lu... par... la... dent... de... ces... a... ni... maux... Je m'approchai doucement de cette porte et je regardai.

Dans le calme et le demi-jour d'une petite chambre, un bon vieux à pommettes roses, ridé jusqu'au bout des doigts, dormait au fond d'un fauteuil, la bouche ouverte, les mains sur ses genoux. A ses pieds, une fillette habillée de bleu, – grande pèlerine et petit béguin, le costume des orphelines, – lisait la Vie de saint Irénée dans un livre plus gros qu'elle... Cette lecture miraculeuse avait opéré sur toute la maison. Le vieux dormait dans son fauteuil, les mouches au plafond, les canaris dans leur cage, là-bas sur la fenêtre. La grosse horloge ronflait, tic tac, tic tac. Il n'y avait d'éveillé dans toute la chambre qu'une grande bande de lumière qui tombait droite et blanche entre les volets clos, pleine d'étincelles vivantes et de valses microscopiques... Au milieu de l'assoupissement général, l'enfant continuait sa lecture d'un air grave: Aus... si... tôt... deux... lions... se... pré... ci... pi... tè... rent... sur... lui... et... le... dé... vo... rè... rent... C'est à ce moment que j'entrai... Les lions de saint Irénée se précipitant dans la chambre n'y auraient pas produit plus de stupeur que moi. Un vrai coup de théâtre! La petite pousse un cri, le gros livre tombe, les canaris, les mouches se réveillent, la pendule sonne, le vieux se dresse en sursaut, tout effaré, et moi-même, un peu troublé, je m'arrête sur le seuil en criant bien fort:

98 – Bonjour, braves gens! je suis l'ami de Maurice.

99 Oh! alors, si vous l'aviez vu, le pauvre vieux, si

man zur Linken durch eine halboffene Tür das Ticken einer großen Standuhr und die Stimme eines Kindes, und zwar eines Schulkindes, das etwas vorlas und dabei nach jeder Silbe stockte: «Da . . . rief . . . der . . . hei . . . li . . . ge . . . I . . . re . . . nä. . . us . . . aus . . . Ich . . . bin . . . der . . . Wei . . . zen . . . des . . . Herrn . . . Ich . . . muß . . . ge . . . mah . . . len . . . wer . . . den . . . von . . . den . . . Zäh . . . nen . . . die . . . ser . . . Tie . . . re . . .» Sachte ging ich näher an die Tür heran und blickte hinein.

In der Stille und dem Halbdunkel einer kleinen Stube schlief in einem tiefen Sessel ein schöner Greis mit rosigen Bäckchen, runzlig bis zu den Fingerspitzen, den Mund offen und die Hände auf den Knien. Ihm zu Füßen las ein kleines, blaugekleidetes Mädchen, – großer Umhang und Nonnenhäubchen, die Tracht der Waisenkinder, – das Leben des heiligen Irenäus aus einem Buch vor, das größer war als das Mädchen selbst . . . Diese wundersame Lektüre hatte auf das ganze Haus eingewirkt. Der Alte schlief in seinem Sessel, die Fliegen an der Decke, die Kanarienvögel in ihrem Käfig, hinten auf der Fensterbank. Die große Standuhr brummte, ticktack, ticktack. Nichts war im ganzen Zimmer munter als ein breiter Lichtstreif, der weiß und schnurgerade durch die geschlossenen Fensterläden fiel und Myriaden lebhafter Fünkchen tanzen ließ . . . Inmitten des allgemeinen Schlummers fuhr das Kind mit ernster Miene fort: «Als . . . bald . . . stürz . . . ten . . . sich . . . zwei . . . Lö . . . wen . . . auf . . . ihn . . . und . . . ver . . . schlan . . . gen . . . ihn . . .» Just in diesem Augenblick trat ich ein . . . Wären die Löwen des heiligen Irenäus in die Stube gestürzt, sie hätten kein größeres Entsetzen hervorgerufen als ich. Ein richtiger Theatereinfall! Die Kleine stößt einen Schrei aus, das dicke Buch fällt zu Boden, die Kanarienvögel, die Fliegen werden wach, die Uhr schlägt, der Alte fährt mit einem Ruck, ganz verstört, hoch, und ich selbst bleibe etwas verwirrt auf der Schwelle stehen und rufe sehr laut:

«Guten Tag, liebe Leute! Ich bin der Freund von Maurice.»

Oh, wenn Sie ihn nun gesehen hätten, den guten Alten, wenn Sie gesehen hätten, wie er mit ausgestreckten Armen

vous l'aviez vu venir vers moi les bras tendus, m'embrasser, me serrer les mains, courir égaré dans la chambre, en faisant:

– Mon Dieu! mon Dieu!...

Toutes les rides de son visage riaient. Il était rouge. Il bégayait:

– Ah! monsieur... ah! monsieur...

Puis il allait vers le fond en appelant:

– Mamette!

Une porte qui s'ouvre, un trot de souris dans le couloir... c'était Mamette. Rien de joli comme cette petite vieille avec son bonnet à coque, sa robe carmélite, et son mouchoir brodé qu'elle tenait à la main pour me faire honneur, à l'ancienne mode... Chose attendrissante! ils se ressemblaient. Avec un tour et des coques jaunes, il aurait pu s'appeler Mamette, lui aussi. Seulement la vraie Mamette avait dû beaucoup pleurer dans sa vie, et elle était encore plus ridée que l'autre. Comme l'autre aussi, elle avait près d'elle une enfant de l'orphelinat, petite garde en pèlerine bleue, qui ne la quittait jamais; et de voir ces vieillards protégés par ces orphelines, c'était ce qu'on peut imaginer de plus touchant.

En entrant, Mamette avait commencé par me faire une grande révérence, mais d'un mot le vieux lui coupa sa révérence en deux:

– C'est l'ami de Maurice...

Aussitôt la voilà qui tremble, qui pleure, perd son mouchoir, qui devient rouge, toute rouge, encore plus rouge que lui... Ces vieux! ça n'a qu'une goutte de sang dans les veines, et à la moindre émotion elle leur saute au visage...

– Vite, vite, une chaise... dit la vieille à sa petite.

– Ouvre les volets... crie le vieux à la sienne.

Et, me prenant chacun par une main, ils m'emmenèrent en trottinant jusqu'à la fenêtre, qu'on a ouverte toute grande pour mieux me voir. On approche les fauteuils, je m'installe entre les deux sur

auf mich zukam, um mich zu umarmen und mir die Hände zu drücken, wie er außer sich in der Stube herumlief und immerfort sagte:

Mein Gott! Mein Gott!...»

Alle Falten seines Gesichts lachten. Er war rot. Er stammelte:

«Ach, Herr!... ach, Herr!...»

Dann ging er nach hinten und rief:

«Muttchen!»

Eine Tür geht auf, ein Mäusetrippeln im Flur... das war Muttchen. Nichts Hübscheres als diese kleine Greisin mit ihrer Schleifchenhaube, ihrem hellbraunen Gewand und ihrem gestickten Taschentuch, das sie in der Hand hielt, um mir nach der Mode von früher Ehre zu erweisen... Wie rührend! Die beiden ähnelten sich. Mit einem falschen Haarschopf und gelben Schleifen hätte genauso gut er selbst Muttchen heißen können. Nur hatte das echte Muttchen in seinem Leben viel weinen müssen und war noch runzliger als das andere. Wie jenes auch, hatte es ein Kind aus dem Waisenhaus bei sich, eine kleine Wärterin in blauem Umhang, die ihr nie von der Seite wich; und diese alten Leutchen von den beiden Waisenkindern beschützt zu sehen, war das Rührendste, was man sich vorstellen kann.

Als Muttchen hereinkam, hatte sie zuerst zu einem tiefen Knicks angesetzt, doch mit einem Wort schnitt ihr der Alte den Knicks mittendurch:

«Das ist der Freund von Maurice...»

Sogleich zittert sie, weint, verliert ihr Taschentuch, errötet, wird ganz rot, noch röter als er... Diese alten Leutchen! Haben nur einen einzigen Tropfen Blut in den Adern, und bei der geringsten Erregung schießt er ihnen ins Gesicht...

«Schnell, schnell, einen Stuhl...» sagt die Alte zu ihrer Kleinen.

«Mach die Läden auf...» ruft der Alte der seinen zu.

Jedes faßt mich bei einer Hand, und trippelnd führen sie mich zum Fenster, das ganz weit geöffnet worden ist, damit ich besser zu sehen bin. Die Sessel werden hergerückt, ich lasse mich zwischen den beiden Alten auf einem Klapp-

un pliant, les petites bleues derrière nous, et l'interrogatoire commence:

– Comment va-t-il? Qu'est-ce qu'il fait? Pourquoi ne vient-il pas? Est-ce qu'il est content?...

Et patati! et patata! Comme cela pendant des heures.

Moi, je répondais de mon mieux à toutes leurs questions, donnant sur mon ami les détails que je savais, inventant effrontément ceux que je ne savais pas, me gardant surtout d'avouer que je n'avais jamais remarqué si ses fenêtres fermaient bien ou de quelle couleur était le papier de sa chambre.

– Le papier de sa chambre!... Il est bleu, madame, bleu clair, avec des guirlandes...

– Vraiment? faisait la pauvre vieille attendrie; et elle ajoutait en se tournant vers son mari: C'est un si brave enfant!

– Oh! oui, c'est un brave enfant! reprenait l'autre avec enthousiasme.

Et, tout le temps que je parlais, c'étaient entre eux des hochements de tête, de petits rires fins, des clignements d'yeux, des airs entendus, ou bien encore le vieux qui se rapprochait pour me dire:

– Parlez plus fort... Elle a l'oreille un peu dure.

Et elle de son côté:

– Un peu plus haut, je vous prie!... Il n'entend pas très bien...

Alors j'élevais la voix; et tous deux me remerciaient d'un sourire; et dans ces sourires fanés qui se penchaient vers moi, cherchant jusqu'au fond de mes yeux l'image de leur Maurice, moi, j'étais tout ému de la retrouver cette image, vague, voilée, presque insaisissable, comme si je voyais mon ami me sourire, très loin, dans un brouillard.

Tout à coup le vieux se dresse sur son fauteuil:

– Mais j'y pense, Mamette..., il n'a peut-être pas déjeuné!

Et Mamette, effarée, les bras au ciel:

stuhl nieder, die kleinen Blauen stehen hinter uns, und das Verhör beginnt:

«Wie geht's ihm? Was treibt er? Warum kommt er nicht? Ist er zufrieden?...»

Und papperlapipp, und papperlapapp! Stundenlang.

Ich beantwortete, so gut ich konnte, alle ihre Fragen, lieferte über meinen Freund die Einzelheiten, die mir bekannt, erfand dreist jene, die mir unbekannt waren und hütete mich vor allem, zuzugeben, daß ich nie bemerkt hatte, ob seine Fenster gut schlossen oder von welcher Farbe die Tapete seines Zimmers war.

«Die Tapete seines Zimmers!... Blau, gnädige Frau, hellblau, mit Girlanden...»

«Wirklich?» fragte die liebe Alte gerührt; und, an ihren Mann gewandt, fügte sie hinzu: «Was ist er doch für ein braves Kind.»

«Ja wahrhaftig, er ist ein braves Kind!» wiederholte dieser lebhaft.

Und solange ich sprach, nickten die beiden sich zu, lachten sich leise und zärtlich an, zwinkerten sich zu und tauschten verständnisinnige Blicke aus. Oder aber der Alte rückte näher, um mir zu sagen:

«Sprechen Sie lauter... Sie ist etwas schwerhörig...»

Und sie ihrerseits:

«Ein klein wenig lauter, bitte!... Er hört nicht mehr so sehr gut...»

Dann erhob ich die Stimme; und alle beide dankten mir mit einem Lächeln; und in diesem welken Lächeln, das sich zu mir herneigte, um bis auf den Grund meiner Augen nach dem Bild ihres Maurice zu suchen, fand ich selbst voll Rührung dieses Bild wieder, unscharf, verschleiert, kaum greifbar, als sähe ich meinen Freund von sehr ferne durch einen Nebel hindurch mir zulächeln.

Plötzlich richtet sich der Alte in seinem Sessel auf:

«Aber mir fällt ein, Muttchen..., er hat vielleicht noch nichts gegessen.»

Und Muttchen, außer sich, die Arme zum Himmel erhoben:

– Pas déjeuné!... Grand Dieu!

Je croyais qu'il s'agissait encore de Maurice, et j'allais répondre que ce brave enfant n'attendait jamais plus tard que midi pour se mettre à table. Mais non, c'était bien de moi qu'on parlait; et il faut voir quel branle-bas quand j'avouai que j'étais encore à jeun:

– Vite le couvert, petites bleues! La table au milieu de la chambre, la nappe du dimanche, les assiettes à fleurs. Et ne rions pas tant, s'il vous plaît! et dépêchons-nous...

Je crois bien qu'elles se dépêchaient. A peine le temps de casser trois assiettes le déjeuner se trouva servi.

– Un bon petit déjeuner! me disait Mamette en me conduisant à table; seulement vous serez tout seul... Nous autres, nous avons déjà mangé ce matin.

Ces pauvres vieux! à quelque heure qu'on les prenne, ils ont toujours mangé le matin.

Le bon petit déjeuner de Mamette, c'était deux doigts de lait, des dattes et une *barquette*, quelque chose comme un échaudé; de quoi la nourrir elle et ses canaris au moins pendant huit jours... Et dire qu'à moi seul je vins à bout de toutes ces provisions!... Aussi quelle indignation autour de la table! Comme les petites bleues chuchotaient en se poussant du coude, et là-bas, au fond de leur cage, comme les canaris avaient l'air de se dire: «Oh! ce monsieur qui mange toute la *barquette!*»

Je la mangeai toute, en effet, et presque sans m'en apercevoir, occupé que j'étais à regarder autour de moi dans cette chambre claire et paisible où flottait comme une odeur de choses anciennes... Il y avait surtout deux petits lits dont je ne pouvais pas détacher mes yeux. Ces lits, presque deux berceaux, je me les figurais le matin, au petit jour, quand ils sont encore enfouis sous leurs grands rideaux à franges. Trois heures sonnent. C'est l'heure où tous les vieux se
104 réveillent:

105 – Tu dors, Mamette?

«Nichts gegessen! . . . Großer Gott!»

Ich glaubte, es sei immer noch von Maurice die Rede und wollte gerade antworten, das brave Kind gehe spätestens um zwölf Uhr zu Tisch. Aber nein, von mir war die Rede; und nun die Aufregung, als ich bekannte, noch nicht gegessen zu haben!

«Schnell gedeckt, ihr kleinen Blauen! Den Tisch in die Mitte des Zimmers, das Sonntagstischtuch, die Teller mit dem Blumenmuster! Und nicht so viel gelacht, bitte! Beeilen wir uns . . .!»

Und ob sie sich beeilten! Kaum war Zeit, drei Teller zu zerschlagen, – schon stand das Essen auf dem Tisch.

«Ein gutes Frühstück!» sagte Muttchen zu mir, als sie mich zu Tisch führte; «nur werden Sie ganz alleine speisen . . . Wir beide haben schon am Vormittag gegessen.»

Diese guten Alten! Zu welcher Stunde man sie auch überrascht, immer haben sie schon am Vormittag gegessen.

Muttchens gutes Frühstück bestand aus zwei Fingerhutvoll Milch, Datteln und einem «Schiffchen», – das ist eine Art Windbeutel; – damit wären sie und ihre Kanarienvögel mindestens acht Tage lang ausgekommen . . . Und ich wurde mit all diesen Vorräten alleine fertig! . . .

Welche Entrüstung daher rund um den Tisch! Wie sich die kleinen Blauen zuflüsterten und sich mit den Ellbogen anstießen, und wie dort drüben, in ihrem Käfig, die Kanarienvögel zu sagen schienen: «Oh, dieser Herr, der das ganze ‹Schiffchen› aufißt!»

Ich aß es in der Tat ganz auf und schier ohne es zu merken, so sehr war ich damit beschäftigt, in dieser hellen, friedlichen Stube mich umzusehen, in der ein Duft von alten Sachen hing . . . Besonders von zwei kleinen Betten konnte ich meine Augen nicht abwenden.

Diese Betten, zwei Wiegen fast, stellte ich mir frühmorgens, in der Dämmerung, vor, wenn sie noch unter ihren großen Fransenvorhängen verborgen sind. Es schlägt drei Uhr. Zu dieser Stunde werden alle Alten wach.

«Schläfst Du, Muttchen?»

– Non, mon ami.

– N'est-ce pas que Maurice est un brave enfant?

– Oh! oui c'est un brave enfant.

Et j'imaginais comme cela toute une causerie, rien que pour avoir vu ces deux petits lits de vieux, dressés l'un à côté de l'autre...

Pendant ce temps, un drame terrible se passait à l'autre bout de la chambre, devant l'armoire. Il s'agissait d'atteindre là-haut, sur le dernier rayon, certain bocal de cerises à l'eau-de-vie qui attendait Maurice depuis dix ans et dont on voulait me faire l'ouverture. Malgré les supplications de Mamette, le vieux avait tenu à aller chercher ses cerises lui-même; et, monté sur une chaise au grand effroi de sa femme, il essayait d'arriver là-haut... Vous voyez le tableau d'ici, le vieux qui tremble et qui se hisse, les petites bleues cramponnées à sa chaise, Mamette derrière lui haletante, les bras tendus, et sur tout cela un léger parfum de bergamote qui s'exhale de l'armoire ouverte et des grandes piles de linge roux... C'était charmant.

Enfin, après bien des efforts, on parvint à le tirer de l'armoire, ce fameux bocal, et avec lui une vieille timbale d'argent toute bosselée, la timbale de Maurice quand il était petit. On me la remplit de cerises jusqu'au bord, Maurice les aimait tant, les cerises! Et tout en me servant, le vieux me disait à l'oreille d'un air de gourmandise:

– Vous êtes bien heureux, vous, de pouvoir en manger!... C'est ma femme qui les a faites... Vous allez goûter quelque chose de bon.

Hélas! sa femme les avait faites, mais elle avait oublié de les sucrer. Que voulez-vous? on devient distrait en vieillissant. Elles étaient atroces, vos cerises, ma pauvre Mamette... Mais cela ne m'empêcha pas de les manger jusqu'au bout, sans sourciller.

106 Le repas terminé, je me levai pour prendre congé de
107 mes hôtes. Ils auraient bien voulu me garder encore

«Nein, mein Freund.»

«Ist Maurice nicht ein braves Kind?»

«Oh ja, er ist ein braves Kind.»

Und so dachte ich mir eine ganze Plauderei aus, nur weil ich diese beiden nebeneinanderstehenden Bettchen alter Leute gesehen hatte...

Währenddessen spielte sich am anderen Ende der Stube, vor dem Schrank, ein schreckliches Drama ab. Es ging darum, hoch oben, im letzten Fach, an ein bestimmtes Einmachglas mit Kirschen in Weinbrand heranzukommen, das seit zehn Jahren auf Maurice wartete und das man für mich öffnen wollte. Trotz Muttchens beschwörendem Flehen hatte der Alte es sich nicht nehmen lassen, seine Kirschen selbst zu holen; und nachdem er zum Entsetzen seiner Frau auf den Stuhl gestiegen war, versuchte er, hinaufzulangen... Sie sehen das Bild vor sich: den zitternd sich reckenden Alten, die kleinen Blauen, an seinen Stuhl geklammert, Muttchen keuchend hinter ihm mit ausgebreiteten Armen, und über alledem ein leichter Duft nach Bergamottbirne, der dem offenen Schrank und den hohen Stapeln gelblicher Wäsche entströmt... Es war reizend.

Nach sehr vielen Anstrengungen gelang es endlich, das Glas, das hochgerühmte Einmachglas, aus dem Schrank zu ziehen und mit ihm einen alten, ganz verbeulten Silberbecher, den Maurice als kleiner Junge benutzt hatte. Man füllte ihn mir randvoll mit Kirschen. Maurice mochte sie ja so gerne, die Kirschen! Und während der Alte mich bediente, sagte er mir mit Feinschmeckermiene ins Ohr:

«Da können Sie sich sehr glücklich schätzen, daß Sie welche essen dürfen!... Die sind von meiner Frau eingemacht worden... Sie werden etwas Feines kosten.»

O Gott! Seine Frau hatte sie eingelegt, aber den Zucker vergessen. Was soll's? Man wird eben zerstreut mit den Jahren. Ihre Kirschen, mein armes Muttchen, waren abscheulich... Doch das hinderte mich nicht, sie alle aufzuessen, ohne mit der Wimper zu zucken.

Nach beendeter Mahlzeit stand ich auf, um mich von meinen Gastgebern zu verabschieden. Sie hätten mich gerne noch

un peu pour causer du brave enfant, mais le jour baissait, le moulin était loin, il fallait partir.

Le vieux s'était levé en même temps que moi.

– Mamette, mon habit!... Je veux le conduire jusqu'à la place.

Bien sûr qu'au fond d'elle-même Mamette trouvait qu'il faisait déjà un peu frais pour me conduire jusqu'à la place; mais elle n'en laissa rien paraître. Seulement, pendant qu'elle l'aidait à passer les manches de son habit, un bel habit tabac d'Espagne à boutons de nacre, j'entendais la chère créature qui lui disait doucement:

– Tu ne rentreras pas trop tard, n'est-ce pas?

Et lui, d'un petit air malin:

– Hé! hé!... je ne sais pas... peut-être...

Là-dessus, ils se regardaient en riant, et les petites bleues riaient de les voir rire, et dans leur coin les canaris riaient aussi à leur manière... Entre nous, je crois que l'odeur des cerises les avait tous un peu grisés.

... La nuit tombait, quand nous sortîmes, le grand-père et moi. La petite bleue nous suivait de loin pour le ramener; mais lui ne la voyait pas, et il était tout fier de marcher à mon bras, comme un homme. Mamette, rayonnante, voyait cela du pas de sa porte, et elle avait en nous regardant de jolis hochements de tête qui semblaient dire: «Tout de même, mon pauvre homme!... il marche encore.»

ein wenig dabehalten wollen, um von dem braven Kind zu plaudern, aber der Tag ging zur Neige; bis zur Mühle war weit; ich mußte aufbrechen.

Der Alte hatte sich gleichzeitig mit mir erhoben.

«Muttchen, meinen Rock!... Ich will ihn bis zum Platz begleiten.»

Gewiß fand Muttchen es insgeheim schon ein wenig zu frisch dafür, daß er mich bis zum Platz begleiten wollte; aber sie ließ sich nichts anmerken. Nur während sie ihm in die Ärmel seines Rocks half, eines schönen, sandfarbenen Rocks mit Perlmuttknöpfen, hörte ich das liebe Geschöpf leise zu ihm sagen:

«Du kommst doch nicht zu spät heim, nicht wahr?»

Und er, etwas schalkhaft:

«Ha, ha!... ich weiß nicht... vielleicht...»

Dabei sahen sie sich lachend an, und die kleinen Blauen lachten, als sie dieses Lachen sahen, und in ihrer Ecke lachten auch die Kanarienvögel auf ihre Art... Unter uns gesagt, ich glaube, der Duft der Kirschen hatte sie alle ein wenig berauscht.

... Die Nacht brach herein, als wir das Haus verließen, der Großvater und ich. Die kleine Blaue folgte uns von ferne, um ihn heimzubringen; doch er sah sie nicht und war ganz stolz, wie ein Mann an meinem Arm dahinzumarschieren. Strahlend sah Muttchen es von ihrer Türschwelle aus, und sie schüttelte, als sie uns nachblickte, wiederholt anmutig den Kopf, was zu besagen schien: «Immerhin, mein armer Alter!... Er läuft noch.»

Les trois messes basses.
Conte de Noël

I

– Deux dindes truffées, Garrigou?...

– Oui, mon révérend, deux dindes magnifiques bourrées de truffes. J'en sais quelque chose, puisque c'est moi qui ai aidé à les remplir. On aurait dit que leur peau allait craquer en rôtissant, tellement elle était tendue...

– Jésus-Maria! moi qui aime tant les truffes!... Donne-moi vite mon surplis, Garrigou... Et avec les dindes, qu'est-ce que tu as encore aperçu à la cuisine?...

– Oh! toutes sortes de bonnes choses... Depuis midi nous n'avons fait que plumer des faisans, des huppes, des gelinottes, des coqs de bruyère. La plume en volait partout... Puis de l'étang on a apporté des anguilles, des carpes dorées, des truites, des...

– Grosses comment, les truites, Garrigou?

– Grosses comme ça, mon révérend... Énormes!...

– Oh! Dieu! il me semble que je le vois... As-tu mis le vin dans les burettes?

– Oui, mon révérend, j'ai mis le vin dans les burettes... Mais dame! il ne vaut pas celui que vous boirez tout à l'heure en sortant de la messe de minuit. Si vous voyiez cela dans la salle à manger du château, toutes ces carafes qui flambent pleines de vins de toutes les couleurs... Et la vaisselle d'argent, les surtouts ciselés, les fleurs, les candélabres!... Jamais il ne se sera vu un réveillon pareil. Monsieur le marquis a invité tous les seigneurs du voisinage. Vous serez au moins quarante à table, sans compter le bailli ni le tabellion... Ah! vous êtes bien heureux d'en être, mon révérend!... Rien que d'avoir flairé
110 ces belles dindes, l'odeur des truffes me suit par-
111 tout... Meuh!...

Die drei stillen Messen.
Eine Weihnachtsgeschichte

I

«Zwei getrüffelte Puten, Garrigou?...»

«Jawohl, Hochwürden, zwei ganz herrliche, mit Trüffeln vollgestopfte Puten. Ich weiß Bescheid, denn ich habe selber mitgeholfen, sie zu füllen. Man hätte meinen können, ihre Haut müsse während des Bratens platzen, so straff gespannt war sie...»

«Jesus-Maria! Wo ich doch auf Trüffeln so versessen bin!... Gib mir rasch mein Chorhemd, Garrigou... Und was hast du sonst noch, außer den Puten, in der Küche bemerkt?...»

«Oh, alles mögliche Gute... Von Mittag an haben wir nichts anderes getan, als Fasanen, Wiedehopfe, Haselhühner und Auerhähne gerupft. Überall flogen die Federn umher... Dann wurden aus dem Teich Aale herbeigeschafft, Goldkarpfen, Forellen...»

«Die Forellen, wie groß, Garrigou?»

«Sooo groß, Hochwürden... Riesig!...»

«Mein Gott! Mir ist, als sähe ich sie vor mir... Hast du den Wein in die Meßkännchen gefüllt?»

«Ja, Hochwürden, ich habe den Wein in die Kännchen gefüllt... Aber er kommt beileibe nicht an den heran, den Ihr gleich nach der Mette trinken werdet. Wenn Ihr das sehen könntet, im Speisesaal des Schlosses, alle diese funkelnden Karaffen voller Wein in allen Farben... Und das Silbergeschirr, die ziselierten Tafelaufsätze, die Blumen, die Kandelaber!... Das wird ein Weihnachtsmahl, wie es niemals eines gegeben hat.

Der Herr Marquis hat sämtliche Gutsherren der Nachbarschaft eingeladen. Mindestens vierzig werdet Ihr bei Tische sein, Vogt und Notar nicht mitgezählt... Ah! Ihr trefft es sehr gut, Hochwürden, daß Ihr dabei seid!... Bloß weil ich an diesen schönen Puten geschnuppert habe, verfolgt mich der Duft der Trüffel überallhin... Hmmm!»

– Allons, allons, mon enfant. Gardons-nous du péché de gourmandise, surtout la nuit de la Nativité... Va bien vite allumer les cierges et sonner le premier coup de la messe; car voilà que minuit est proche, et il ne faut pas nous mettre en retard...

Cette conversation se tenait une nuit de Noël de l'an de grâce mil six cent et tant, entre le révérend dom Balaguère, ancien prieur des Barnabites, présentement chapelain gagé des sires de Trinquelage, et son petit clerc Garrigou, ou du moins ce qu'il croyait être le petit clerc Garrigou, car vous saurez que le diable, ce soir-là, avait pris la face ronde et les traits indécis du jeune sacristain pour mieux induire le révérend père en tentation et lui faire commettre un épouvantable péché de gourmandise. Donc, pendant que le soi-disant Garrigou (hum! hum!) faisait à tour de bras carillonner les cloches de la chapelle seigneuriale, le révérend achevait de revêtir sa chasuble dans la petite sacristie du château; et, l'esprit déjà troublé par toutes ces descriptions gastronomiques, il se répétait à lui-même en s'habillant:

– Des dindes rôties... des carpes dorées... des truites grosses comme ça[1]...

Dehors, le vent de la nuit soufflait en éparpillant la musique des cloches, et, à mesure, des lumières apparaissaient dans l'ombre aux flancs du mont Ventoux, en haut duquel s'élevaient les vieilles tours de Trinquelage. C'étaient des familles de métayers qui venaient entendre la messe de minuit au château. Ils grimpaient la côte en chantant par groupes de cinq ou six, le père en avant, la lanterne en main, les femmes enveloppées dans leurs grandes mantes brunes où les enfants se serraient et s'abritraient. Malgré l'heure et le froid, tout ce brave peuple marchait allégrement, soutenu par l'idée qu'au sortir de la messe il y aurait, comme tous les ans, table mise pour eux en bas dans les cuisines. De temps en temps, sur la rude montée, le carrosse d'un seigneur précédé de porteurs de

«Aber, aber, mein Kind! Hüten wir uns vor der Sünde der Schlemmerei, vor allem in der Christnacht! . . . Zünde recht schnell die Kerzen an und läute das erstemal zur Mette; denn gleich ist es Mitternacht, und wir dürfen uns nicht verspäten . . .»

Diese Unterhaltung fand in einer Weihnachtsnacht im Jahre des Heils eintausendsechshundertsoundsoviel statt, zwischen dem Hochwürdigen Dom Balaguère, ehedem Prior der Barnabiten, jetzt besoldeter Schloßkaplan der edlen Herren von Trinquelage, und seinem kleinen Meßdiener Garrigou oder was Hochwürden zumindest für den kleinen Meßdiener Garrigou hielt, denn an jenem Abend hatte nämlich der Teufel das runde Gesicht und die weichen, unfertigen Züge des jungen Ministranten angenommen, um den Hochwürdigen Vater leichter in Versuchung zu führen und ihn eine abscheuliche Sünde der Schlemmerei begehen zu lassen. Während also der angebliche Garrigou (na! na!) mit voller Kraft die Glocken der herrschaftlichen Kapelle ertönen ließ, wurde Hochwürden in der kleinen Sakristei des Schlosses gleich mit dem Anlegen seines Meßgewandes fertig, und da sein Geist von all diesen gastronomischen Schilderungen schon aufgewühlt war, sagte er sich während des Anziehens ständig vor:

«Gebratene Puten . . . und Goldkarpfen . . . und sooo große Forellen! . . .»

Draußen blies der Nachtwind und trug die Musik der Glokken in alle Himmelsrichtungen. Lichter blitzten nach und nach durch das Dunkel an den Flanken des Mont Ventoux, auf dessen Gipfel die alten Türme von Trinquelage in den Himmel ragten. Es waren Pächterfamilien, die zur Mette aufs Schloß zogen. Sie stiegen singend den Hang hinauf, in Gruppen von fünf oder sechs, der Vater voran mit der Laterne in der Hand, die Frauen in ihre weiten, braunen, ärmellosen Mäntel gehüllt, unter denen sich die Kinder schutzsuchend drängten. Trotz der nächtlichen Stunde und der Kälte marschierten alle diese wakkeren Leute munter dahin, gestärkt von der Vorstellung, daß nach der Mette, wie alle Jahre, der Tisch für sie unten in den Küchen gedeckt sein werde. Im Mondlicht blinkten von Zeit zu Zeit auf dem beschwerlichen Weg bergan die Fenster einer

torches, faisait miroiter ses glaces au clair de lune, ou bien une mule trottait en agitant ses sonnailles, et à la lueur des falots enveloppés de brume, les métayers reconnaissaient leur bailli et le saluaient au passage:

– Bonsoir, bonsoir, maître Arnoton!

– Bonsoir, bonsoir, mes enfants!

La nuit était claire, les étoiles avivées de froid; la bise piquait, et un fin grésil, glissant sur les vêtements sans les mouiller, gardait fidèlement la tradition des Noëls blancs de neige. Tout en haut de la côte, le château apparaissait comme le but, avec sa masse énorme de tours, de pignons, le clocher de sa chapelle montant dans le ciel bleu noir, et une foule de petites lumières qui clignotaient, allaient, venaient, s'agitaient à toutes les fenêtres, et ressemblaient, sur le fond sombre du bâtiment, aux étincelles courant dans des cendres de papier brûlé... Passé le pont-levis et la poterne, il fallait, pour se rendre à la chapelle, traverser la première cour, pleine de carrosses, de valets, de chaises à porteurs, toute claire du feu des torches et de la flambée des cuisines. On entendait le tintement des tournebroches, le fracas des casseroles, le choc des cristaux et de l'argenterie remués dans les apprêts d'un repas; par là-dessus, une vapeur tiède, qui sentait bon les chairs rôties et les herbes fortes des sauces compliquées, faisait dire aux métayers comme au chapelain, comme au bailli, comme à tout le monde:

– Quel bon réveillon nous allons faire après la messe!

II

Drelindin din!... Drelindin din!...

C'est la messe de minuit qui commence. Dans la chapelle du château, une cathédrale en miniature, aux
114 arceaux entrecroisés, aux boiseries de chêne, montant
115 jusqu'à hauteur des murs, les tapisseries ont été

herrschaftlichen Karosse, der Fackelträger voranliefen, oder es trabte mit Schellengeläut ein Maultier seines Wegs, und im Schein der in Nebel getauchten Handlaternen erkannten die Pächter ihren Vogt und grüßten ihn im Vorbeiziehen:

«Guten Abend, guten Abend, Meister Arnoton!»

«Guten Abend, guten Abend, meine Kinder!»

Die Nacht war hell, die Kälte ließ die Sterne hervortreten; der Nordostwind war beißend, und ein feiner Eisregen, der an der Kleidung herunterlief, ohne daß sie naß wurde, wahrte getreulich die Tradition der schneeweißen Weihnacht. Hoch oben auf dem Hang tauchte als Ziel das Schloß auf, mit seiner gewaltigen Masse von Türmen, Giebeln, dem Glockenturm seiner Kapelle, der in den schwarzblauen Himmel ragte, und einer Menge kleinerer Lichter, die hinter allen Fenstern aufblitzten, sich hin und her bewegten und vor dem dunklen Hintergrund des Gebäudes den Funken glichen, die in der Asche verbrannten Papiers herumschwärmen... Hatte man die Zugbrücke und das Ausfalltor hinter sich gelassen, mußte man, um zur Kapelle zu gelangen, den ersten Hof überqueren, der, ganz erhellt von den brennenden Fackeln und den lodernden Küchenfeuern, voll von Karossen, Dienern und Sänften war. Man hörte das Klappern der Bratenwender, das Geschepper der Kochtöpfe, das Aneinanderstoßen der Kristall- und Silbergefäße, mit denen bei der Zubereitung eines Essens hantiert wird; und über alledem ein lauwarmer Dampf, der angenehm nach dem gebratenen Fleisch und den starken Kräutern der sorgsam ausgetüftelten Saucen roch und die Pächter wie den Schloßkaplan, den Vogt und einen jeden sagen ließ: «Was werden wir doch nach der Mette für einen guten Weihnachtsschmaus haben!»

II

Klingelingeling!... Klingelingeling!...

Die Christmette beginnt. In der Schloßkapelle, einer Kathedrale im kleinen, mit Kreuzbögen und einer bis zur Höhe der Mauern reichenden Eichentäfelung, sind die Wandteppiche aufgehängt und alle Kerzen entzündet worden. Und so viele

tendues, tous les cierges allumés. Et que de monde ! Et que de toilettes ! Voici d'abord, assis dans les stalles sculptées qui entourent le chœur, le sire de Trinquelage, en habit de taffetas saumon, et près de lui tous les nobles seigneurs invités. En face, sur des prie-Dieu garnis de velours, ont pris place la vieille marquise douairière dans sa robe de brocart couleur de feu et la jeune dame de Trinquelage, coiffée d'une haute tour de dentelle gaufrée à la dernière mode de la cour de France. Plus bas on voit, vêtus de noir avec de vastes perruques en pointe et des visages rasés, le bailli Thomas Arnoton et le tabellion maître Ambroy, deux notes graves parmi les soies voyantes et les damas brochés. Puis viennent les gras majordomes, les pages, les piqueurs, les intendants, dame Barbe, toutes ses clefs pendues sur le côté à un clavier d'argent fin. Au fond, sur les bancs, c'est le bas office, les servantes, les métayers avec leurs familles ; et enfin, là-bas, tout contre la porte qu'ils entrouvrent et referment discrètement, messieurs les marmitons qui viennent entre deux sauces prendre un petit air de messe et apporter une odeur de réveillon dans l'église toute en fête et tiède de tant de cierges allumés.

Est-ce la vue de ces petites barrettes blanches qui donne des distractions à l'officiant ? Ne serait-ce pas plutôt la sonnette de Garrigou, cette enragée petite sonnette qui s'agite au pied de l'autel avec une précipitation infernale et semble dire tout le temps :

– Dépêchons-nous, dépêchons-nous . . . Plus tôt nous aurons fini, plus tôt nous serons à table.

Le fait est que chaque fois qu'elle tinte, cette sonnette du diable, le chapelain oublie sa messe et ne pense plus qu'au réveillon. Il se figure les cuisiniers en rumeur, les fourneaux où brûle un feu de forge, la buée qui monte des couvercles entrouverts, et dans cette buée deux dindes magnifiques, bourrées, tendues, marbrées de truffes . . .

116

117

Ou bien encore il voit passer des files de pages

Leute! Und was für Gewänder! Da sitzt zunächst, im geschnitzten Chorgestühl, der Herr von Trinquelage in lachsfarbenem Taftgewand, und um ihn all die geladenen adligen Herren. Gegenüber haben auf samtbezogenen Betstühlen die alte verwitwete Marquise in ihrem feuerroten Brokatkleid und die junge Edle von Trinquelage Platz genommen, das Haupt von einem hohen Turm aus Waffelspitze bedeckt, nach der neuesten Mode des französischen Hofes. Weiter hinten sieht man, in Schwarz gekleidet, mit gewaltigen, spitz zulaufenden Perücken und glattrasierten Gesichtern, den Vogt Thomas Arnoton und den Notar, Maître Ambroy, zwei strenge Tupfer zwischen den farbenfrohen Seiden und golddurchwirkten Damaststoffen. Dann kommen die fetten Haushofmeister, die Pagen, die Vorreiter, die Verwalter, Dame Barbe, der an der Seite all ihre Schlüssel an einem Ring aus feinem Silber herabhängen. Hinten auf den Bänken die Dienerschaft, die Mägde, die Pächter mit ihren Familien, und schließlich ganz hinten, dicht bei der Tür, die sie behutsam ein wenig öffnen und wieder schließen, die Herren Küchenjungen, welche hereinkommen, um zwischen zwei Saucen ein bißchen Mettenluft zu schnuppern. Mit ihnen zieht ein Duft von Weihnachtsschmaus in die im festlichen Glanz erstrahlende Kirche, die von so vielen brennenden Kerzen durchwärmt ist.

Ist's der Anblick dieser weißen Mützchen, der den Priester ablenkt? Oder ist es nicht vielmehr Garrigous Glöckchen, dieses wütende kleine Glöckchen, das sich am Fuß des Altars in einem Höllentempo rührt und fortwährend zu sagen scheint:

«Schnell! Schnell!... Je früher wir fertig sind, desto eher werden wir bei Tisch sein.»

Jedesmal wenn es bimmelt, das Teufelsglöckchen, vergißt der Kaplan tatsächlich seine Messe und denkt nur noch an den Weihnachtsschmaus. Er stellt sich die herumwerkelnden Köche vor, die Herde, in denen ein Schmiedefeuer brennt, den Dampf, der unter den angehobenen Topfdeckeln hochquillt, und in diesem Dampf zwei prachtvolle gespickte Puten, marmoriert von Trüffeln...

Oder aber er sieht Reihen von Pagen vorüberziehen, die in

portant des plats enveloppés de vapeurs tentantes, et avec eux il entre dans la grande salle déjà prête pour le festin. O délices ! voilà l'immense table toute chargée et flamboyante, les paons habillés de leurs plumes, les faisans écartant leurs ailes mordorées, les flacons couleur de rubis, les pyramides de fruits éclatants parmi les branches vertes, et ces merveilleux poissons dont parlait Garrigou (ah ! bien oui, Garrigou !) étalés sur un lit de fenouil, l'écaille nacrée comme s'ils sortaient de l'eau, avec un bouquet d'herbes odorantes dans leurs narines de monstres. Si vive est la vision de ces merveilles, qu'il semble à dom Balaguère que tous ces plats mirifiques sont servis devant lui sur les broderies de la nappe d'autel, et deux ou trois fois, au lieu de *Dominus vobiscum !* il se surprend à dire le *Benedicite*. A part ces légères méprises, le digne homme débite son office très consciencieusement, sans passer une ligne, sans omettre une génuflexion ; et tout marche assez bien jusqu'à la fin de la première messe ; car vous savez que le jour de Noël le même officiant doit célébrer trois messes consécutives.

– Et d'une ! se dit le chapelain avec un soupir de soulagement ; puis, sans perdre une minute, il fait signe à son clerc ou celui qu'il croit être son clerc, et . . .

Drelindin din ! . . . Drelindin din !

C'est la seconde messe qui commence, et avec elle commence aussi le péché de dom Balaguère.

– Vite, vite, dépêchons-nous, lui crie de sa petite voix aigrelette la sonnette de Garrigou, et cette fois le malheureux officiant, tout abandonné au démon de gourmandise, se rue sur le missel et dévore les pages avec l'avidité de son appétit en surexcitaton. Frénétiquement il se baisse, se relève, esquisse les signes de croix, les génuflexions, raccourcit tous ses gestes pour avoir plus tôt fini. A peine s'il étend ses bras à l'Evangile, s'il frappe sa poitrine au *Confiteor*. Entre le clerc et lui c'est à qui bredouillera le plus vite.

verführerische Dunstwolken gehüllte Gerichte tragen, und mit ihnen betritt er den großen, schon für das Fest bereiteten Saal. Oh Wonnen! Da ist die riesige, über und über beladene Tafel im Kerzenschein, die Pfauen in ihrem Federkleid, die Fasanen, die ihre goldbraunen Flügel spreizen, die rubinfarbenen Flaschen, die Pyramiden farbenprächtiger Früchte zwischen den grünen Zweigen und jene wunderbaren Fische, von denen Garrigou sprach (jawohl, Garrigou!), ausgelegt auf einem Fenchelbett, mit perlmuttschimmerndem Schuppenpanzer, als kämen sie eben aus dem Wasser, und einem Sträußchen duftender Kräuter in ihren riesigen Nüstern. So lebhaft stellt sich Dom Balaguère diese Wunder vor, daß er glaubt, all diese fabelhaften Gerichte seien vor ihm auf den Stickereien der Altardecke ausgebreitet; und zwei- oder dreimal ertappt er sich dabei, daß er statt *Dominus vobiscum* das Tischgebet spricht. Sieht man von diesen geringfügigen Versprechern ab, waltet der würdige Mann sehr gewissenhaft seines Amtes, ohne eine Zeile zu überschlagen und ohne eine Kniebeuge auszulassen; alles verläuft ziemlich gut bis zum Ende der ersten Messe; denn wie Sie wissen, muß am Weihnachtstag derselbe Priester drei Messen nacheinander zelebrieren.

«Das wäre die erste!» sagt sich der Kaplan mit einem Seufzer der Erleichterung; dann gibt er, ohne eine Minute zu verlieren, seinem Ministranten oder dem, den er für seinen Ministranten hält, ein Zeichen, er möge . . .

Klingelingeling! . . . Klingelingeling! . . .

Es beginnt die zweite Messe, und mit ihr beginnt auch die Sünde Dom Balaguères.

«Schnell, schnell, beeilen wir uns!» ruft ihm Garrigous Glöckchen mit seiner dünnen, schrillen Stimme zu, und diesmal stürzt sich der unselige, ganz dem Dämon der Schlemmerei verfallene Priester auf das Meßbuch und verschlingt die Seiten mit der Gier seiner überreizten Eßlust. Hektisch verneigt er sich, richtet sich wieder auf, deutet die Kreuzzeichen und Kniebeugen an, kürzt alle seine Gesten ab, um rascher fertig zu werden. Kaum daß er beim Evangelium die Arme ausbreitet, sich beim *Confiteor* an die Brust schlägt. Mit dem Ministranten wetteifert er darum, wer die meisten Silben

Versets et répons se précipitent, se bousculent. Les mots à moitié prononcés, sans ouvrir la bouche, ce qui prendrait trop de temps, s'achèvent en murmures incompréhensibles.

Oremus ps... ps... ps...

Mea culpa... pa... pa...

Pareils à des vendangeurs pressés foulant le raisin de la cuve, tous deux barbottent dans le latin de la messe, en envoyant des éclaboussures de tous les côtés.

Dom... scum!... dit Balaguère.

...Stutuo!... répond Garrigou; et tout le temps la damnée petite sonnette est là qui tinte à leurs oreilles, comme ces grelots qu'on met aux chevaux de poste pour les faire galoper à la grande vitesse. Pensez que de ce train-là une messe basse est vite expédiée.

– Et de deux! dit le chapelain tout essoufflé; puis sans prendre le temps de respirer, rouge, suant, il dégringole les marches de l'autel et...

Drelindin din!... Drelindin din!...

C'est la troisième messe qui commence. Il n'y a plus que quelques pas à faire pour arriver à la salle à manger; mais, hélas! à mesure que le réveillon approche, l'infortuné Balaguère se sent pris d'une folie d'impatience et de gourmandise. Sa vision s'accentue, les carpes dorées, les dindes rôties, sont là, là... Il les touche;... il les... Oh! Dieu!... Les plats fument, les vins embaument; et secouant son grelot enragé, la petite sonnette lui crie:

– Vite, vite, encore plus vite!...

Mais comment pourrait-il aller plus vite? Ses lèvres remuent à peine. Il ne prononce plus les mots... A moins de tricher tout à fait le bon Dieu et de lui escamoter sa messe... Et c'est ce qu'il fait, le malheureux!... De tentation en tentation il commence par sauter un verset, puis deux. Puis l'épître est trop longue, il ne la finit pas, effleure l'évangile, passe devant le *Credo* sans entrer, saute le *Pater*, salue de

verschluckt. Bibelverse und Responsorien schubsen und überstürzen sich. Die Wörter, zur Hälfte ausgesprochen, ohne daß Pfarrer und Meßdiener den Mund öffnen, was zuviel Zeit kosten würde, enden in einem unverständlichen Gemurmel:

«*Oremus ps ... ps ... ps...*»

«*Mea culpa ... pa ... pa ...*»

Gleich eiligen Winzern, die die Trauben im Bottich zertreten, stapfen alle beide im Latein der Messe herum und verspritzen Wortfetzen nach allen Seiten.

«*Dom ... scum! ...*» sagt Balaguère.

«*... Stutuo!...*» antwortet Garrigou; und die ganze Zeit bimmelt ihnen das verdammte Glöckchen in den Ohren, wie jene kleinen Schellen, die man den Postpferden umbindet, um sie zu höchstem Galopp anzuspornen. Sie können sich vorstellen, daß bei solchem Tempo eine stille Messe bald vorbei ist.

«Nummer zwei!» sagt der Kaplan ganz außer Atem und stürzt dann, ohne sich die Zeit zum Verschnaufen zu nehmen, mit glühendem Gesicht und schwitzend die Altarstufen herunter und...

Klingelingeling!... Klingelingeling!...

Schon beginnt die dritte Messe. Es sind nur noch ein paar Schritte bis zum Speisesaal; aber ach! Je näher der Weihnachtsschmaus rückt, desto mehr fühlt sich der bedauernswerte Balaguère von irrer Ungeduld und Freßgier übermannt. Seine Vision wird deutlicher, die Goldkarpfen, die gebratenen Puten sind da,

da... Er berührt sie;... er... Oh Gott!... Die Gerichte dampfen, die Weine verbreiten ihr Aroma, und das rasende Glöckchen bimmelt ihm zu:

«Schnell, schnell, noch schneller!...»

Aber wie könnte er noch schneller machen? Seine Lippen bewegen sich kaum. Schon spricht er die Wörter nicht mehr aus... Wenn er bloß den lieben Gott nicht ganz und gar bemogelt und ihn um seine Messe bringt!... Und eben das tut er, der Unglücksrabe!... Von Versuchung zu Versuchung eilend, läßt er anfangs einen Bibelvers aus, dann zwei. Dann ist die Epistel zu lang; er liest sie nicht zu Ende; er streift das Evangelium, geht am *Credo* vorbei, ohne sich darauf einzulas-

loin la préface, et par bonds et par élans se précipite ainsi dans la damnation éternelle, toujours suivi de l'infâme Garrigou *(vade retro, Satanas!)* qui le seconde avec une merveilleuse entente, lui relève sa chasuble, tourne les feuillets deux par deux, bouscule les pupitres, renverse les burettes, et sans cesse secoue la petite sonnette de plus en plus fort, de plus en plus vite.

Il faut voir la figure effarée que font tous les assistants ! Obligés de suivre à la mimique du prêtre cette messe dont ils n'entendent pas un mot, les uns se lèvent quand les autres s'agenouillent, s'asseyent quand les autres sont debout; et toutes les phases de ce singulier office se confondent sur les bancs dans une foule d'attitudes diverses. L'étoile de Noël en route dans les chemins du ciel, là-bas, vers la petite étable, pâlit d'épouvante en voyant cette confusion . . .

– L'abbé va trop vite . . . On ne peut pas suivre, murmure la vieille douairière en agitant sa coiffe avec égarement.

Maître Arnoton, ses grandes lunettes d'acier sur le nez, cherche dans son paroissien où diantre on peut bien en être. Mais au fond, tous ces braves gens, qui eux aussi pensent à réveillonner, ne sont pas fâchés que la messe aille ce train de poste; et quand dom Balaguère, la figure rayonnante, se tourne vers l'assistance en criant de toutes ses forces: *Ite, missa est*, il n'y a qu'une voix dans la chapelle pour lui répondre un *Deo gratias* si joyeux, si entraînant, qu'on se croirait déjà à table au premier toast du réveillon.

III

Cinq minutes après, la foule des seigneurs s'asseyait dans la grande salle, le chapelain au milieu d'eux. Le château, illuminé de haut en bas, retentissait de chants, de cris, de rires, de rumeurs; et le vénérable dom Balaguère plantait sa fourchette dans une aile

sen, überspringt das Vaterunser, grüßt von ferne die Präfation und stürzt sich so mit Sprüngen und Schwüngen in die ewige Verdammnis, immer gefolgt vom niederträchtigen Garrigou *(vade retro, Satanas!)*, der ihn in wundervollem Einvernehmen unterstützt, ihm das Meßgewand anhebt, zwei Blätter auf einmal wendet, die Lesepulte herumstößt, die Meßkännchen umkippt und unablässig das Glöckchen schüttelt, immer stärker, immer schneller.

Man muß die bestürzten Gesichter aller Anwesenden sehen! Da sie gezwungen sind, diese Messe, von der sie kein Wort vernehmen, aufgrund der Mimik des Priesters zu verfolgen, stehen die einen auf, wenn die anderen niederknien, setzen sich, wenn die anderen stehen; und alle Abschnitte dieses eigenartigen Gottesdienstes vermischen sich auf den Bänken in einer Menge verschiedener Körperhaltungen. Der Weihnachtsstern, der dort oben auf den Straßen des Himmels nach dem kleinen Stall unterwegs ist, erbleicht vor Schreck, als er dieses Durcheinander sieht...

«Der Pfarrer macht zu schnell... Man kann nicht folgen», murmelt die alte Marquise und schüttelt verstört ihre Haube.

Meister Arnoton, die große Stahlbrille auf der Nase, sucht in seinem Gebetbuch, wo, zum Teufel, man wohl sein mag. Aber im Grund sind alle diese wackeren Leute, die selber auch ans Schmausen denken, nicht betrübt darüber, daß die Mette in diesem rasenden Tempo vonstatten geht; und als Dom Balaguère sich mit strahlendem Gesicht an die Gemeinde wendet und aus Leibeskräften «*Ite, missa est!*» schmettert, tönt ihm in der Kapelle einstimmig ein so fröhliches, mitreißendes *Deo gratias* entgegen, als sei man schon bei Tisch und brächte den ersten Trinkspruch des Weihnachtsmahls aus.

III

Fünf Minuten später nahm die große Schar der Edelleute im großen Saal Platz, und mitten unter ihnen der Kaplan. Das Schloß, vom Dach bis zum Keller hell erleuchtet, hallte wider von Gesang, Geschrei, Gelächter und Stimmengewirr, und der ehrwürdige Dom Balaguère spießte mit seiner Gabel einen

de gelinotte, noyant le remords de son péché sous des flots de vin du pape et de bons jus de viandes. Tant il but et mangea, le pauvre saint homme, qu'il mourut dans la nuit d'une terrible attaque, sans avoir eu seulement le temps de se repentir; puis, au matin, il arriva dans le ciel encore tout en rumeur des fêtes de la nuit, et je vous laisse à penser comme il y fut reçu.

– Retire-toi de mes yeux, mauvais chrétien! lui dit le souverain Juge, notre maître à tous. Ta faute est assez grande pour effacer toute une vie de vertu... Ah! tu m'as volé une messe de nuit... Eh bien! tu m'en payeras trois cents en place, et tu n'entreras en paradis que quand tu auras célébré dans ta propre chapelle ces trois cents messes de Noël en présence de tous ceux qui ont péché par ta faute et avec toi......

Et voilà la vraie légende de dom Balaguère comme on la raconte au pays des olives. Aujourd'hui le château de Trinquelage n'existe plus, mais la chapelle se tient encore droite tout en haut du mont Ventoux, dans un bouquet de chênes verts. Le vent fait battre sa porte disjointe, l'herbe encombre le seuil; il y a des nids aux angles de l'autel et dans l'embrasure des hautes croisées dont les vitraux coloriés ont disparu depuis longtemps. Cependant il paraît que tous les ans, à Noël, une lumière surnaturelle erre parmi ces ruines, et qu'en allant aux messes et aux réveillons, les paysans aperçoivent ce spectre de chapelle éclairé de cierges invisibles qui brûlent au grand air, même sous la neige et le vent. Vous en rirez si vous voulez, mais un vigneron de l'endroit, nommé Garrigue, sans doute un descendant de Garrigou, m'a affirmé qu'un soir de Noël, se trouvant un peu en ribote, il s'était perdu dans la montagne du côté de Trinquelage; et voici ce qu'il avait vu... Jusqu'à onze heures, rien. Tout était silencieux, éteint, inanimé. Soudain, vers minuit, un carillon sonna tout en haut du clocher, un vieux, vieux carillon qui avait

124
125

Haselhuhnflügel auf und ertränkte das schlechte Gewissen über seine Sünde in Fluten von Wein aus der päpstlichen Kelterei und in einer Fülle guter Bratensäfte. So viel aß und trank er, der arme, fromme Mann, daß er in der Nacht einem fürchterlichen Schlaganfall erlag, ohne auch nur Zeit zur Reue gefunden zu haben; dann, am Morgen, kam er im Himmel an, noch ganz aufgewühlt von den nächtlichen Feiern, und ich überlasse es Ihnen, sich auszumalen, wie er dort empfangen wurde.

«Geh mir aus den Augen, du schlechter Christ!» sagte der höchste Richter, unser aller Herr. «Dein Vergehen ist so groß, daß es ein ganzes der Tugend geweihtes Leben auslöscht ... Ha, du hast mich um eine Mitternachtsmesse gebracht ... Nun denn, du wirst mich dafür mit dreihundert entschädigen und kommst erst ins Paradies, wenn du diese dreihundert in deiner eigenen Kapelle gelesen hast, in Gegenwart all jener, die durch deinen Fehltritt und mit dir gesündigt haben ...»

... Das ist die wirkliche Legende von Dom Balaguère, wie man sie sich im Lande der Oliven erzählt. Das Schloß Trinquelage gibt es heute nicht mehr, aber die Kapelle steht noch ganz oben auf dem Mont Ventoux, inmitten einer Gruppe von Steineichen. Im Wind klappert die Tür, die sich verzogen hat und nicht mehr schließt, Unkraut überwuchert die Schwelle, Vogelnester kleben in den Altarnischen und in der Leibung der hohen Fenster, deren bunte Scheiben seit langem verschwunden sind. Allein es scheint, daß alljährlich an Weihnachten ein überirdisches Licht in diesen Ruinen umherirrt, und daß die Bauern, wenn sie unterwegs zur Mette und zum Weihnachtsschmaus sind, diese gespenstische Kapelle von unsichtbaren Kerzen erhellt sehen, die, selbst bei Schnee und Wind, in der frischen Luft brennen. Meinetwegen lachen Sie darüber, aber ein Weinbauer aus dem Ort, ein gewisser Garrigue, wahrscheinlich ein Abkömmling Garrigous, hat mir beteuert, er habe sich an einem Weihnachtsabend in leicht angesäuseltem Zustand auf dem Berg in der Gegend von Trinquelage verirrt, und da habe er folgendes gesehen ... Bis elf Uhr – nichts. Alles war still, erloschen, ausgestorben. Plötzlich, so gegen Mitternacht, erklang Glockengeläut hoch vom Turm her, ein uraltes Geläut, das sich anhörte, als wäre es zehn Meilen weit weg.

l'air d'être à dix lieues. Bientôt, dans le chemin qui monte, Garrigue vit trembler des feux, s'agiter des ombres indécises. Sous le porche de la chapelle, on marchait, on chuchotait :

– Bonsoir, maître Arnoton !

– Bonsoir, bonsoir, mes enfants ! . . .

Quand tout le monde fut entré, mon vigneron, qui était très brave, s'approcha doucement, et regardant par la porte cassée eut un singulier spectacle. Tous ces gens qu'il avait vus passer étaient rangés autour du chœur, dans la nef en ruine, comme si les anciens bancs existaient encore. De belles dames en brocart avec des coiffes de dentelle, des seigneurs chamarrés du haut en bas, des paysans en jaquettes fleuries ainsi qu'en avaient nos grands-pères, tous l'air vieux, fané, poussiéreux, fatigué. De temps en temps, des oiseaux de nuit, hôtes habituels de la chapelle, réveillés par toutes ces lumières, venaient rôder autour des cierges dont la flamme montait droite et vague comme si elle avait brûlé derrière une gaze ; et ce qui amusait beaucoup Garrigue, c'était un certain personnage à grandes lunettes d'acier, qui secouait à chaque instant sa haute perruque noire sur laquelle un de ces oiseaux se tenait droit tout empêtré en battant silencieusement des ailes . . .

Dans le fond, un petit vieillard de taille enfantine, à genoux au milieu du chœur, agitait désespérément une sonnette sans grelot et sans voix, pendant qu'un prêtre, habillé de vieil or, allait, venait devant l'autel en récitant des oraisons dont on n'entendait pas un mot . . . Bien sûr c'était dom Balaguère, en train de dire sa troisième messe basse.

Bald sah Garrigue auf dem Weg, der zur Höhe führt, Flämmchen zucken und schemenhafte Gestalten sich bewegen. Unter dem Vorbau der Kapelle hörte man Schritte und Flüsterstimmen:

«Guten Abend, Maître Arnoton!»

«Guten Abend, guten Abend, meine Kinder!»

Als alle hineingegangen waren, trat mein Winzer, ein sehr beherzter Mann, vorsichtig näher und erlebte, durch die geborstene Tür blickend, ein einzigartiges Schauspiel. Alle diese Leute, die er hatte vorbeiziehen sehen, waren im zerfallenen Kirchenschiff so um den Chor versammelt, als seien die alten Bänke noch vorhanden. Schöne, in Brokat gekleidete Damen mit Spitzenhauben, Edelleute, vom Scheitel bis zur Sohle festlich herausgeputzt, Bauern in geblümten Kitteln wie zu Zeiten unserer Großväter, und alle sahen sie alt aus, verwelkt, verstaubt, müde.

Dann und wann streiften Nachtvögel, die gewöhnlich in der Kapelle hausen, von all diesen Lichtern aufgeschreckt, um die Kerzen, deren Flamme senkrecht emporstieg und so verschwommen aussah, als hätte sie hinter einem Gazeflor gebrannt. Arg lustig fand Garrigue einen Mann mit großer Stahlbrille, der jeden Augenblick seine hohe schwarze Perücke schüttelte, in der einer dieser Vögel sich verfangen hatte und durch lautlose Flügelschläge mühsam das Gleichgewicht wahrte.

Im Hintergrund schwenkte ein altes Männlein von kindlichem Wuchs, das in der Mitte des Chores kniete, verzweifelt ein Glöckchen ohne Klöppel und Klang, während ein Priester in altgoldenem Gewand vor dem Altar hin und her ging und Gebete sprach, von denen man kein Wort vernahm ... Ganz sicher war das Dom Balaguère, der gerade seine dritte stille Messe las.

C'était en revenant de Nîmes, une après-midi de juillet. Il faisait une chaleur accablante. A perte de vue, la route blanche, embrasée, poudroyait entre les jardins d'oliviers et de petits chênes, sous un grand soleil d'argent mat qui remplissait tout le ciel. Pas une tache d'ombre, pas un souffle de vent. Rien que la vibration de l'air chaud et le cri strident des cigales, musique folle, assourdissante, à temps pressés, qui semble la sonorité même de cette immense vibration lumineuse . . . Je marchais en plein désert depuis deux heures, quand tout à coup, devant moi, un groupe de maisons blanches se dégagea de la poussière de la route. C'était ce qu'on appelle le relais de Saint-Vincent : cinq ou six *mas*, de longues granges à toiture rouge, un abreuvoir sans eau dans un bouquet de figuiers maigres, et, tout au bout du pays, deux grandes auberges qui se regardent face à face de chaque côté du chemin.

Le voisinage de ces auberges avait quelque chose de saisissant. D'un côté, un grand bâtiment neuf, plein de vie, d'animation, toutes les portes ouvertes, la diligence arrêtée devant, les chevaux fumants qu'on dételait, les voyageurs descendus buvant à la hâte sur la route dans l'ombre courte des murs ; la cour encombrée de mulets, de charrettes ; des rouliers couchés sous les hangars en attendant *la fraîche*. A l'intérieur, des cris, des jurons, des coups de poing sur les tables, le choc des verres, le fracas des billards, les bouchons de limonades qui sautaient, et, dominant tout ce tumulte, une voix joyeuse, éclatante, qui chantait à faire trembler les vitres :

128 La belle Margoton Tant matin s'est levée,
129 A pris son broc d'argent, A l'eau s'en est allée . . .

Die beiden Gasthäuser

Es war auf dem Rückweg von Nîmes, an einem drückend schwülen Julinachmittag. Soweit das Auge reichte, staubte die weiße, glühende Landstraße zwischen den Olivengärten und niedrigen Eichen unter einer großen, mattsilbrigen Sonne, die den ganzen Himmel ausfüllte. Kein Fleckchen Schatten, kein Windhauch! Nichts als das Flirren der heißen Luft und das schrille Zirpen der Zikaden, eine irre, betäubende Musik mit schnellem Takt, eine Musik, die geradezu die Klangfülle dieses ungeheuren, leuchtenden Flirrens zu sein scheint... Ich wanderte seit zwei Stunden durch völlige Einöde, als sich plötzlich vor mir eine Gruppe weißer Häuser vom Staub der Straße abhob.

Es war die sogenannte Poststation von Saint-Vincent: fünf, sechs Bauernhäuser, lange Scheunen mit rotem Dach, eine Viehtränke ohne Wasser unter etlichen kümmerlichen Feigenbäumen und, ganz am Ortsende, nur durch die Straße getrennt, zwei große, sich gegenüberstehende Gasthöfe.

Die Nähe dieser Wirtshäuser war irgendwie auffallend. Auf der einen Straßenseite ein großer Neubau, voller Leben und Betriebsamkeit, alle Türen offen, davor die Postkutsche, die dampfenden Pferde, die gerade ausgespannt wurden, die Reisenden, die ausgestiegen waren, um auf der Straße, im kurzen Schatten der Mauern, rasch etwas zu trinken; der Hof gedrängt voll mit Maultieren und Karren; Fuhrleute, die sich in den Scheunen ausgestreckt haben und auf die Abendkühle warten. Drinnen Schreie, Flüche, Fausthiebe auf die Tische, Klirren der Gläser, Klicken der Billardkugeln, Aufspringen der Saftflaschen und, all diesen Lärm übertönend, eine fröhliche, schmetternde Stimme, deren Gesang die Fensterscheiben erzittern ließ:

Die schöne Margoton   Stand auf in aller Früh,
Sie nahm den Silberkrug,   Zum Wasser hin ging sie...

... L'auberge d'en face, au contraire, était silencieuse et comme abandonnée. De l'herbe sous le portail, des volets cassés, sur la porte un rameau de petit houx tout rouillé qui pendait comme un vieux panache, les marches du seuil calées avec des pierres de la route... Tout cela si pauvre, si pitoyable, que c'était une charité vraiment de s'arrêter là pour boire un coup.

En entrant, je trouvai une longue salle déserte et morne, que le jour éblouissant de trois grandes fenêtres sans rideaux fait plus morne et plus déserte encore. Quelques tables boiteuses où traînaient des verres ternis par la poussière, un billard crevé qui tendait ses quatre blouses comme des sébiles, un divan jaune, un vieux comptoir, dormaient là dans une chaleur malsaine et lourde. Et des mouches ! des mouches ! jamais je n'en avais tant vu : sur le plafond, collées aux vitres, dans les verres, par grappes... Quand j'ouvris la porte, ce fut un bourdonnement, un frémissement d'ailes comme si j'entrais dans une ruche.

Au fond de la salle, dans l'embrasure d'une croisée, il y avait une femme debout contre la vitre, très occupée à regarder dehors. Je l'appelai deux fois :

– Hé ! l'hôtesse !

Elle se retourna lentement, et me laissa voir une pauvre figure de paysanne, ridée, crevassée, couleur de terre, encadrée dans de longues barbes de dentelle rousse comme en portent les vieilles de chez nous. Pourtant ce n'était pas une vieille femme ; mais les larmes l'avaient toute fanée.

– Qu'est-ce que vous voulez ? me demanda-t-elle en essuyant ses yeux.

– M'asseoir un moment et boire quelque chose...

Elle me regarda très étonnée, sans bouger de sa place, comme si elle ne comprenait pas.

130 – Ce n'est donc pas une auberge ici ?

131 La femme soupira :

... Dagegen lag das Gasthaus auf der anderen Straßenseite still und wie verlassen da. Unkraut unter dem Eingangstor, zerbrochene Fensterläden, über der Tür ein völlig verdorrter Stechpalmenzweig, der wie ein alter Federbusch herunterhing, die Stufen der Schwelle mit Steinen von der Landstraße verkeilt ... All das so armselig, so erbärmlich, daß es wirklich aus christlicher Nächstenliebe geschah, wenn man hier haltmachte, um einen Schluck zu trinken.

Als ich eintrat, fand ich einen langen, öden, düsteren Saal, den die strahlende Helle, die durch drei hohe, vorhanglose Fenster drang, noch düsterer und verlassener erscheinen ließ. Ein paar wacklige Tische, auf denen Gläser herumstanden, die vor Staub blind waren, ein kaputtes Billard, das seine vier Fanglöcher wie Sammelbüchsen herzeigte, ein gelber Diwan und eine alte Theke – all das schlief da in einer ungesunden, brütenden Hitze. Und Fliegen! Fliegen! So viele hatte ich noch nie gesehen: an der Decke, an den Fensterscheiben klebend, in den Gläsern, traubenweise ... Als ich die Tür öffnete, entstand ein Summen, ein Flügelsirren, als beträte ich ein Bienenhaus.

Hinten im Saal, in einer Fensternische, stand eine Frau an die Scheibe gelehnt und blickte angespannt hinaus. Ich rief sie zweimal:

«Hallo, Frau Wirtin!»

Sie drehte sich langsam um, und ich blickte in ein verhärmtes Bäuerinnengesicht, faltig, zerfurcht, erdfarben, eingerahmt von langen, rötlichen Spitzenstreifen, wie die alten Frauen sie bei uns tragen.

Doch das war keine alte Frau, nur hatten die Tränen sie ganz und gar verwelken lassen.

«Was wollen Sie?» fragte sie mich und wischte sich die Augen.

«Mich einen Augenblick setzen und etwas trinken ...»

Sie sah mich sehr erstaunt an, ohne sich von der Stelle zu bewegen, als begriffe sie nicht.

«Ist denn das kein Gasthaus?»

Die Frau seufzte:

– Si… c'est une auberge, si vous voulez… Mais pourquoi n'allez-vous pas en face comme les autres? C'est bien plus gai …

– C'est trop gai pour moi… J'aime mieux rester chez vous.

Et, sans attendre sa réponse, je m'installai devant une table.

Quand elle fut bien sûre que je parlais sérieusement, l'hôtesse se mit à aller et venir d'un air très affairé, ouvrant des tiroirs, remuant des bouteilles, essuyant des verres, dérangeant les mouches… On sentait que ce voyageur à servir était tout un événement. Par moments la malheureuse s'arrêtait, et se prenait la tête comme si elle désespérait d'en venir à bout.

Puis elle passait dans la pièce du fond; je l'entendais remuer de grosses clefs, tourmenter des serrures, fouiller dans la huche au pain, souffler, épousseter, laver des assiettes. De temps en temps, un gros soupir, un sanglot mal étouffé…

Après un quart d'heure de ce manège, j'eus devant moi une assiettée de *passerilles* (raisins secs), un vieux pain de Beaucaire aussi dur que du grès, et une bouteille de piquette.

– Vous êtes servi, dit l'étrange créature, et elle retourna bien vite prendre sa place devant la fenêtre.

Tout en buvant, j'essayai de la faire causer.

– Il ne vous vient pas souvent du monde, n'est-ce pas, ma pauvre femme?

– Oh! non, monsieur, jamais personne… Quand nous étions seuls dans le pays, c'était différent: nous avions le relais, des repas de chasse pendant le temps des macreuses, des voitures toute l'année… Mais depuis que les voisins sont venus s'établir, nous avons tout perdu… Le monde aime mieux aller en face. Chez nous, on trouve que c'est trop triste. Le fait est que la maison n'est pas bien agréable. Je ne suis pas

«Doch ... es ist ein Gasthaus, wenn Sie so wollen ... Aber warum gehen Sie nicht hinüber wie alle anderen? Dort ist's viel lustiger...»

«Mir ist es dort zu lustig... Ich bleibe lieber hier bei Ihnen.»

Und ohne ihre Antwort abzuwarten, ließ ich mich an einem Tisch nieder.

Als sie ganz sicher war, daß ich es ernst meinte, begann die Wirtin sehr geschäftig hin und her zu eilen, öffnete Schubladen, schob Flaschen umher, trocknete Gläser ab, scheuchte die Fliegen auf...

Man merkte, daß dieser Reisende, den es zu bedienen galt, ein wahres Ereignis war. Mitunter blieb die Ärmste stehen, faßte sich an den Kopf, als verzweifelte sie, mit der Aufgabe überhaupt zurechtzukommen.

Dann ging sie ins Hinterzimmer; ich hörte sie mit großen Schlüsseln hantieren, Schlösser traktieren, im Brotkasten kramen; ich hörte sie schnaufen, abstauben, Teller waschen. Von Zeit zu Zeit ein tiefer Seufzer, ein schlecht unterdrücktes Schluchzen...

Nachdem sie eine Viertelstunde herumgewerkelt hatte, bekam ich einen Teller voll *Passerillen* (Rosinen), ein altbackenes, steinhartes Brot aus Beaucaire und eine Flasche Treberwein.

«Bitte!» sagte das seltsame Geschöpf und eilte gleich wieder an seinen Platz vor dem Fenster zurück.

Während ich trank, versuchte ich, die Frau zum Sprechen zu bringen.

«Sie haben nicht oft Gäste, Sie Ärmste. Stimmt's?»

«Ach nein, mein Herr, nie jemand ... Als wir die einzigen im Ort waren, war das anders: wir hatten die Posthalterei, Jagdessen während der Wildentenzeit, das ganze Jahr hindurch Wagen ... Aber seit die Nachbarn sich niedergelassen haben, ging uns alles verloren. Die Leute kehren lieber drüben ein. Bei uns, findet man, ist es zu traurig. Es stimmt, daß das Haus nicht sehr einladend ist. Ich bin nicht schön, leide an Fieberanfällen, meine beiden kleinen Mädchen sind gestor-

belle, j'ai les fièvres, mes deux petites sont mortes… Là-bas, au contraire, on rit tout le temps. C'est une Arlésienne qui tient l'auberge, une belle femme avec des dentelles et trois tours de chaîne d'or au cou. Le conducteur, qui est son amant, lui amène la diligence. Avec ça un tas d'enjôleuses pour chambrières… Aussi, il lui en vient de la pratique ! Elle a toute la jeunesse de Bezouces, de Redessan, de Jonquières. Les rouliers font un détour pour passer par chez elle… Moi, je reste ici tout le jour, sans personne, à me consumer.

Elle disait cela d'une voix distraite,indifférente, le front toujours appuyé contre la vitre. Il y avait évidemment dans l'auberge d'en face quelque chose qui la préoccupait…

Tout à coup, de l'autre côté de la route, il se fit un grand mouvement. La diligence s'ébranlait dans la poussière. On entendait des coups de fouet, les fanfares du postillon, les filles accourues sur la porte qui criaient :

– Adiousias !… adiousias !… et par là-dessus la formidable voix de tantôt reprenant de plus belle :

A pris son broc d'argent,
A l'eau s'en est allée ;
De là n'a vu venir
Trois chevaliers d'armée…

… A cette voix l'hôtesse frissonna de tout son corps, et, se tournant vers moi :

– Entendez-vous ? me dit-elle tout bas, c'est mon mari… N'est-ce pas qu'il chante bien ?

Je la regardai, stupéfait.

– Comment ? votre mari !… Il va donc là-bas, lui aussi ?

Alors elle, d'un air navré, mais avec une grande douceur :

– Qu'est-ce que voulez, monsieur ? Les hommes
134 sont comme ça, ils n'aiment pas voir pleurer ; et moi je
135 pleure toujours depuis la mort des petites… Puis,

ben ... Dort dagegen wird die ganze Zeit gelacht. Das Wirtshaus wird von einer Arlesierin geführt, einer schönen Frau mit Spitzen und einer dreireihigen Goldkette um den Hals. Der Postkutscher, ihr Liebhaber, fährt bei ihr vor. Obendrein eine Menge betörender Stubenmädchen ... Deshalb bekommt sie auch Kundschaft! Sie hat die ganzen jungen Leute von Bezouces, von Redessan, von Jonquières. Die Fuhrleute machen einen Umweg, um bei ihr vorbeizuschauen ... Ich aber bin den lieben langen Tag allein hier und komme vor Gram um.

Sie sagte das mit zerstreuter, gleichgültiger Stimme, die Stirne fortwährend gegen die Scheibe gedrückt. Irgendetwas in der Wirtschaft gegenüber beschäftigte sie offensichtlich sehr stark ...

Plötzlich entstand auf der anderen Straßenseite eine lebhafte Bewegung. Die Postkutsche fuhr, Staub aufwirbelnd, los. Man hörte Peitschenknallen und das Horn des Postillions, man hörte die Mädchen, die an die Tür geeilt waren und riefen:

«Adeee, adeee! ...» und, sie übertönend, die gewaltige Stimme von vorhin, die von neuem einsetzte:

> Sie nahm den Silberkrug,
> Zum Wasser hin ging sie;
> Sie hat nicht kommen seh'n
> Drei von der Kavall'rie.

Beim Klang dieser Stimme erbebte die Wirtin am ganzen Körper und wandte sich an mich:

«Hören Sie,» sagte sie ganz leise zu mir, «das ist mein Mann ... Er singt doch gut?»

Ich sah sie verblüfft an.

«Was sagen Sie? Ihr Mann? ... Er geht also auch dort hinüber?»

Da sagte sie mit ungemein kummervoller Miene, aber großer Sanftmut:

«Meine Güte, was will man machen, Herr? So sind sie nun mal, die Männer. Sie sehen es nicht gern, daß man weint, und ich weine ständig seit dem Tod der Kleinen ... Außer-

c'est si triste cette grande baraque où il n'y a jamais personne . . . Alors, quand il s'ennuie trop, mon pauvre José va boire en face, et comme il a une belle voix, l'Arlésienne le fait chanter. Chut! . . . le voilà qui recommence.

Et, tremblante, les mains en avant, avec de grosses larmes qui la faisaient encore plus laide, elle était là comme en extase devant la fenêtre à écouter son José chanter pour l'Arlésienne:

Le premier lui a dit:
«Bonjour, belle mignonne!»

dem ist es so traurig in dieser großen Bude, wo nie jemand hereinkommt... Wenn mein armer José sich also zu sehr langweilt, geht er zum Trinken hinüber, und da er eine schöne Stimme hat, läßt die Arlesierin ihn singen. Pst!... nun fängt er wieder an.»

Und zitternd, die Hände vorgestreckt, stand sie da; dicke Tränen machten sie noch häßlicher; wie verzückt stand sie am Fenster, um ihrem José zuzuhören, der für die Arlesierin sang:

Der erste sprach zu ihr:
«Feinsliebchen, sei gegrüßt!»

– Buvez ceci, mon voisin; vous m'en direz des nouvelles.

Et, goutte à goutte, avec le soin minutieux d'un lapidaire comptant des perles, le curé de Graveson me versa deux doigts d'une liqueur verte, dorée, chaude, étincelante, exquise . . . J'en eus l'estomac tout ensoleillé.

– C'est l'élixir du Père Gaucher, la joie et la santé de notre Provence, me fit le brave homme d'un air triomphant; on le fabrique au couvent des Prémontrés, à deux lieues de votre moulin . . . N'est-ce pas que cela vaut bien toutes les chartreuses du monde? . . . Et si vous saviez comme elle est amusante, l'histoire de cet élixir! Écoutez plutôt . . .

Alors, tout naïvement, sans y entendre malice, dans cette salle à manger de presbytère, si candide et si calme avec son Chemin de la croix en petits tableaux et ses jolis rideaux clairs empesés comme des surplis, l'abbé me commença une historiette légèrement sceptique et irrévérencieuse, à la façon d'un conte d'Érasme ou de d'Assoucy:

Il y a vingt ans, les Prémontrés, ou plutôt les Pères blancs, comme les appellent nos Provençaux, étaient tombés dans une grande misère. Si vous aviez vu leur maison de ce temps-là, elle vous aurait fait peine.

Le grand mur, la tour Pacôme, s'en allaient en morceaux. Tout autour du cloître rempli d'herbes, les colonnettes se fendaient, les saints de pierre croulaient dans leurs niches. Pas un vitrail debout, pas une porte qui tînt. Dans les préaux, dans les chapelles, le vent du Rhône soufflait comme en Camargue, éteignant les cierges, cassant le plomb des vitrages, chassant l'eau des bénitiers. Mais le plus triste de tout,

Das Elixier des Hochwürdigen Paters Gaucher

«Trinken Sie das, Herr Nachbar; Sie werden davon begeistert sein.»

Sorgfältig und gewissenhaft wie ein Juwelenhändler beim Perlenzählen schenkte mir der Pfarrer von Graveson zwei Fingerhutvoll eines goldgrünschimmernden, feurigen, funkelnden, köstlichen Likörs ein, Tropfen um Tropfen ... Mein Magen spürte die Sonne aufgehen.

«Das ist Pater Gauchers Elixier, die Freude und Gesundheit unserer Provence,» sagte der gute Mann mit triumphierender Miene; «man stellt es im Prämonstratenserkloster her, zwei Meilen von Ihrer Mühle ... Kann das nicht sehr wohl neben allen Klosterlikören der Welt bestehen? ... Und wenn Sie erst wüßten, wie lustig die Geschichte dieses Elixiers ist! Hören Sie nur ...»

Und in diesem biederen, stillen Eßzimmer des Pfarrhauses, mit seinem aus kleinen Bildern bestehenden Kreuzweg und seinen hübschen, hellen, wie Chorhemden gestärkten Gardinen, begann der Geistliche, mir ganz arglos und ohne boshafte Hintergedanken ein etwas lockeres, von leichter Skepsis geprägtes Histörchen zu erzählen, das an eine Geschichte von Erasmus oder d'Assoucy erinnert:

«Vor zwanzig Jahren waren die Prämonstratenser oder vielmehr die Weißen Väter, wie sie von unseren Provenzalen genannt werden, in große Not geraten. Hätten Sie damals ihr Haus gesehen, es hätte Ihnen Kummer gemacht.

Die große Mauer und der Pachomiusturm fielen in Trümmer. Rings um den Kreuzgang, der voller Unkraut war, barsten die kleinen Säulen, stürzten die steinernen Heiligen in ihren Nischen zusammen. Kein einziges Kirchenfenster heil, keine Tür, die noch schloß! In den Klosterhöfen, in den Kapellen brauste der von der Rhone kommende Wind wie in der Camargue, blies die Kerzen aus, brach die Bleifassungen aus den Verglasungen, fegte das Wasser aus den Weihwasserkesseln.

c'était le clocher du couvent, silencieux comme un pigeonnier vide; et les Pères, faute d'argent pour s'acheter une cloche, obligés de sonner matines avec des cliquettes de bois d'amandier! . . .

Pauvres Pères blancs! Je les vois encore, à la procession de la Fête-Dieu, défilant tristement dans leurs capes rapiécées, pâles, maigres, nourris de *citres* et de pastèques, et derrière eux monseigneur l'abbé, qui venait la tête basse, tout honteux de montrer au soleil sa crosse dédorée et sa mitre de laine blanche mangée des vers.

Les dames de la confrérie en pleuraient de pitié dans les rangs, et les gros porte-bannière ricanaient entre eux tout bas en se montrant les pauvres moines:

– Les étourneaux vont maigres quand ils vont en troupe.

Le fait est que les infortunés Pères blancs en étaient arrivés eux-mêmes à se demander s'ils ne feraient pas mieux de prendre leur vol à travers le monde et de chercher pâture chacun de son côté.

Or, un jour que cette grave question se débattait dans le chapitre, on vint annoncer au prieur que le frère Gaucher demandait à être entendu au conseil . . . Vous saurez pour votre gouverne que ce frère Gaucher était le bouvier du couvent; c'est-à-dire qu'il passait ses journées à rouler d'arcade en arcade dans le cloître, en poussant devant lui deux vaches étiques qui cherchaient l'herbe aux fentes des pavés. Nourri jusqu'à douze ans par une vieille folle du pays des Baux, qu'on appelait tante Bégon, recueilli depuis chez les moines, le malheureux bouvier n'avait jamais pu rien apprendre qu'à conduire ses bêtes et à réciter son *Pater noster;* encore le disait-il en provençal, car il avait la cervelle dure et l'esprit comme une dague de plomb. Fervent chrétien du reste, quoique un peu visionnaire, à l'aise sous le cilice et se donnant la discipline avec une conviction robuste, et des bras! . . .

Aber das Allertraurigste war der Glockenturm des Klosters, der stumm dastand wie ein leerer Taubenschlag; und da die Patres kein Geld für eine neue Glocke hatten, mußten sie mit Klappern aus Mandelbaumholz den Beginn der Frühmesse verkünden . . .

Arme Weiße Väter! Ich sehe sie noch bei der Fronleichnamsprozession traurig dahinziehen in ihren geflickten Kutten, bleich, hager, – ihre Nahrung bestand aus Kürbissen und Wassermelonen, – und hinter ihnen der Hochwürdigste Vater Abt, gesenkten Hauptes, ganz beschämt darüber, daß er seinen Krummstab, von dem die Vergoldung abgegangen war, und seine Mitra aus weißer, von Motten zerfressener Wolle im Sonnenlicht zeigen mußte. Die Damen der Kongregation im Zuge weinten aus Mitleid, und die dicken Bannerträger feixten sich zu und zeigten auf die armen Mönche:

‹Die Stare werden mager, wenn sie im Schwarm fliegen.›

Tatsächlich waren die Weißen Väter selbst dazu gelangt, sich zu fragen, ob es nicht besser sei, einzeln in die Welt hinauszufliegen und Nahrung zu suchen.

Als nun eines Tages diese ernste Frage im Ordenskapitel erörtert wurde, meldete man dem Prior, Bruder Gaucher ersuche um Gehör im Rat . . . Sie müssen wissen, daß dieser Bruder Gaucher der Rinderhirt des Klosters war; das heißt, er verbrachte seine Tage damit, im Kreuzgang von Arkade zu Arkade zu trotten, wobei er zwei spindeldürre Kühe vor sich hertrieb, die sich aus den Ritzen des Pflasters ihr Gras holten. Bis zu seinem zwölften Lebensjahr war der arme Hirt von einer alten, aus der Gegend von Les Beaux stammenden Irren aufgezogen worden, die man Tante Bégon rief. Dann war er von den Mönchen aufgenommen worden, hatte aber nie etwas anderes lernen können, als seine Tiere zu hüten und das Vaterunser aufzusagen; freilich sprach er es nur auf provenzalisch, denn er war schwer von Begriff, als hätte er Blei im Hirn. Sonst aber ein eifriger, wenn auch etwas schwärmerischer Christ, der sich unterm Büßerhemd wohl fühlte und sich aus einer starken Überzeugung heraus kasteite, und mit was für Armen! . . .

Quand on le vit entrer dans la salle du chapitre, simple et balourd, saluant l'assemblée la jambe en arrière, prieur, chanoines, argentier, tout le monde se mit à rire. C'était toujours l'effet que produisait, quand elle arrivait quelque part, cette bonne face grisonnante avec sa barbe de chèvre et ses yeux un peu fous; aussi le frère Gaucher ne s'en émut pas.

– Mes révérends, fit-il d'un ton bonasse en tortillant son chapelet de noyaux d'olives, on a bien raison de dire que ce sont les tonneaux vides qui chantent le mieux. Figurez-vous qu'à force de creuser ma pauvre tête déjà si creuse, je crois que j'ai trouvé le moyen de nous tirer tous de peine.

«Voici comment. Vous savez bien tante Bégon, cette brave femme qui me gardait quand j'étais petit. (Dieu ait son âme, la vieille coquine! elle chantait de bien vilaines chansons après boire.) Je vous dirai donc, mes révérends pères, que tante Bégon, de son vivant, se connaissait aux herbes de montagnes autant et mieux qu'un vieux merle de Corse. Voire, elle avait composé sur la fin de ses jours un élixir incomparable en mélangeant cinq ou six espèces de simples que nous allions cueillir ensemble dans les Alpilles. Il y a belles années de cela; mais je pense qu'avec l'aide de saint Augustin et la permission de notre père abbé, je pourrais – en cherchant bien – retrouver la composition de ce mystérieux élixir. Nous n'aurions plus alors qu'à le mettre en bouteilles, et à le vendre un peu cher, ce qui permettrait à la communauté de s'enrichir doucettement, comme ont fait nos frères de la Trappe et de la Grande...

Il n'eut pas le temps de finir. Le prieur s'était levé pour lui sauter au cou. Les chanoines lui prenaient les mains. L'argentier, encore plus ému que tous les
142 autres, lui baisait avec respect le bord tout effrangé de
143 sa cuculle... Puis chacun revint à sa chaire pour

Als man ihn in den Kapitelsaal kommen sah, einfältig und tölpelhaft, die Versammlung mit einem Kratzfuß begrüßend, fingen alle – Prior, Chorherren, Schatzmeister – zu lachen an. Diese Wirkung stellte sich immer ein, wenn irgendwo dieses gutmütige, ergrauende Gesicht mit dem Geißbart und den etwas irren Augen auftauchte. Deshalb regte sich Bruder Gaucher darüber auch nicht auf.

‹Hochwürdige Väter,› sagte er in biederem Tone, während er an einem Rosenkranz aus Olivenkernen herumfingerte, ‹es heißt vollkommen zu Recht, daß gerade die leeren Fässer am besten klingen. Stellt Euch vor: ich habe mir meinen armen, schon genug zermarterten Kopf so sehr zerbrochen, daß ich glaube, ich habe das Mittel gefunden, welches uns allen aus der Not hilft.

Und zwar so. Euch ist doch Tante Bégon ein Begriff, die kreuzbrave Frau, die auf mich aufpaßte, als ich klein war. (Gott sei ihrer Seele gnädig! Die Alte hatte es faustdick hinter den Ohren; sie sang recht unflätige Lieder, wenn sie getrunken hatte.) Ich sage Euch also, Hochwürdige Väter, daß Tante Bégon zu ihren Lebzeiten die Kräuter der Provence so gut, ja noch besser kannte als eine alte korsische Amsel. Kurz vor dem Ende ihrer Tage hatte sie sogar ein unvergleichliches Elixier zusammengebraut, indem sie fünf, sechs Arten einheimischer Heilkräuter mischte, die wir immer zusammen in den Alpilles sammelten. Das ist zwar ziemlich lange her; doch ich glaube, daß ich mit der Hilfe des heiligen Augustinus und der Erlaubnis unseres Vater Abts – wenn ich gut nachforsche – die Zusammensetzung dieses geheimnisvollen Kräutertrankes wieder entdecken könnte. Wir müßten es dann nur in Flaschen abfüllen und ein bißchen teuer verkaufen, wodurch unsere Gemeinschaft nach und nach reich werden könnte, genau wie unsere Brüder von La Trappe und La Grande . . .›

Er kam nicht dazu, auszureden. Der Prior hatte sich erhoben und fiel ihm um den Hals. Die Chorherren ergriffen seine Hände. Der Schatzmeister, noch heftiger bewegt als alle anderen, küßte ihm ehrerbietig den ganz ausgefransten Saum seines Skapuliers . . . Dann ging jeder zur Beratung in seinen

délibérer ; et, séance tenante, le chapitre décida qu'on confierait les vaches au frère Thrasybule, pour que le frère Gaucher pût se donner tout entier à la confection de son élixir.

Comment le bon frère parvint-il à retrouver la recette de tante Bégon ? au prix de quels efforts ? au prix de quelles veilles ? L'histoire ne le dit pas. Seulement, ce qui est sûr, c'est qu'au bout de six mois, l'élixir des Pères blancs était déjà très populaire. Dans tout le Comtat, dans tout le pays d'Arles, pas un *mas*, pas une grange qui n'eût au fond de sa *dépense*, entre les bouteilles de vin cuit et les jarres d'olives à la picholine, un petit flacon de terre brune cacheté aux armes de Provence, avec un moine en extase sur une étiquette d'argent. Grâce à la vogue de son élixir, la maison des Prémontrés s'enrichit très rapidement. On releva la tour Pacôme. Le prieur eut une mitre neuve, l'église de jolis vitraux ouvragés ; et, dans la fine dentelle du clocher, toute une compagnie de cloches et de clochettes vint s'abattre, un beau matin de Pâques, tintant et carillonnant à la grande volée.

Quant au frère Gaucher, ce pauvre frère lai dont les rusticités égayaient tant le chapitre, il n'en fut plus question dans le couvent. On ne connut plus désormais que le Révérend Père Gaucher, homme de tête et de grand savoir, qui vivait complètement isolé des occupations si menues et si multiples du cloître, et s'enfermait tout le jour dans sa distillerie, pendant que trente moines battaient la montagne pour lui chercher des herbes odorantes . . . Cette distillerie, où personne, pas même le prieur, n'avait le droit de pénétrer, était une ancienne chapelle abandonnée tout au bout du jardin des chanoines. La simplicité des bons pères en avait fait quelque chose de mystérieux et de formidable ; et si, par aventure, un moinillon hardi et curieux, s'accrochant aux vignes grimpantes

Stuhl zurück; am Ende der Sitzung beschloß das Kapitel, die Kühe dem Bruder Thrasybule anzuvertrauen, damit Bruder Gaucher sich völlig der Herstellung seines Elixiers widmen könne.

Wie gelang es nun dem guten Bruder, Tante Bégons Rezept wiederzufinden? Unter welchen Anstrengungen? Nach wievielen durchwachten Nächten? Die Geschichte schweigt darüber. Sicher ist nur, daß das Getränk der Weißen Väter schon nach einem halben Jahr sehr beliebt war. In der ganzen Grafschaft, im ganzen Gebiet von Arles gab es keinen Meierhof und keine Pächterhütte, wo nicht in der Tiefe der Vorratskammer, zwischen den Dessertweinflaschen und den Krügen mit eingelegten schwarzen Oliven, auch ein Tongefäß stand, das mit dem Wappen der Provence versiegelt war und ein silbernes Etikett mit einem verzückten Mönch trug.

Dank der Beliebtheit seines Elixiers gelangte das Haus der Prämonstratenser sehr rasch zu Wohlstand. Der Pachomiusturm wurde wieder aufgebaut. Der Prior erhielt eine neue Mitra, die Kirche hübsche, verzierte Glasfenster, und vom filigranartigen Mauerwerk des Glockenturms herab dröhnte und tönte an einem schönen Ostermorgen ein ganzer Schwarm Glocken und Glöckchen in voller Bewegung.

Was den Bruder Gaucher betrifft, jenen armen Laienbruder, dessen bäuerische Art das Ordenskapitel so sehr erheitert hatte, davon war im Kloster nicht mehr die Rede. Man kannte fortan nur noch den Hochwürdigen Pater Gaucher, einen Mann mit Verstand und großem Wissen, der völlig abgewandt von den niederen, vielfältigen Tätigkeiten des Klosters lebte und sich den ganzen Tag in seiner Brennerei einschloß, indes dreißig Mönche die Berge absuchten, um für ihn wohlriechende Kräuter zu finden . . . Diese Brennerei, zu der niemand, nicht einmal der Prior, Zutritt hatte, war eine aufgelassene ehemalige Kapelle, ganz am Ende des Gartens der Chorherrn. Die schlichte Geistesart der guten Patres hatte daraus etwas Geheimnisvolles und Gewaltiges gemacht, und wenn zufällig ein freches, neugieriges Mönchlein an den hochrankenden

arrivait jusqu'à la rosace du portail, il en dégringolait bien vite, effaré d'avoir vu le Père Gaucher, avec sa barbe de nécroman, penché sur ses fourneaux, le pèse-liqueur à la main; puis, tout autour, des cornues de grès rose, des alambics gigantesques, des serpentins de cristal, tout un encombrement bizarre qui flamboyait ensorcelé dans la lueur rouge des vitraux...

Au jour tombant, quand sonnait le dernier Angélus, la porte de ce lieu de mystère s'ouvrait discrètement, et le révérend se rendait à l'église pour l'office du soir. Il fallait voir quel accueil quand il traversait le monastère! Les frères faisaient la haie sur son passage. On disait:

– Chut!... il a le secret!...

– L'argentier le suivait et lui parlait la tête basse... Au milieu de ces adulations, le père s'en allait en s'épongeant le front, son tricorne aux larges bords posé en arrière comme une auréole, regardant autour de lui d'un air de complaisance les grandes cours plantées d'orangers, les toits bleus où tournaient des girouettes neuves, et, dans le cloître éclatant de blancheur, – entre les colonnettes élégantes et fleuries, – les chanoines habillés de frais qui défilaient deux par deux avec des mines reposées.

– C'est à moi qu'ils doivent tout cela! se disait le révérend en lui-même; et chaque fois cette pensée lui faisait monter des bouffées d'orgueil.

Le pauvre homme en fut bien puni. Vous allez voir...

Figurez-vous qu'un soir, pendant l'office, il arriva à l'église dans une agitation extraordinaire: rouge, essoufflé, le capuchon de travers, et si troublé qu'en prenant de l'eau bénite il y trempa ses manches jusqu'au coude. On crut d'abord que c'était l'émotion d'arriver en retard; mais quand on le vit faire de grandes révérences à l'orgue et aux tribunes au lieu de

Rebstöcken emporkletterte und bis zur Rosette des Portals gelangte, ließ es sich sehr rasch wieder hinab, verstört, weil es Pater Gaucher mit seinem Bart eines Geisterbeschwörers erblickt hatte, über seine Öfen gebeugt, die Alkoholwaage in der Hand; dazu ringsum Retorten aus rosa Steingut, riesige Destillierkolben, kristallene Kühlschlangen, ein wunderliches Durcheinander, das im roten Schein der Kirchenfenster wie verzaubert funkelte ...

Wenn der Tag zur Neige ging und der letzte Engel-des-Herrn geläutet wurde, öffnete sich leise die Pforte dieses geheimnisvollen Ortes, und Hochwürden begab sich zur Abendandacht in die Kirche. Sie hätten den Empfang sehen sollen, wenn er durch das Kloster schritt! Die Brüder bildeten Spalier, wo er vorüberkam. Man sagte:

‹Pst! ... er besitzt das Geheimnis! ...›

Der Schatzmeister folgte ihm und sprach gesenkten Hauptes mit ihm ... Inmitten dieser Huldigungen wandelte der Pater dahin und wischte sich die Stirn. Das breitkrempige Dreispitzbirett nach hinten geschoben, als wäre es ein Heiligenschein, betrachtete er selbstgefällig ringsum die großen, mit Orangenbäumen bepflanzten Höfe, die blauen Dächer, auf denen sich neue Wetterfahnen drehten, und im Kreuzgang, der in hellstem Weiß erstrahlte, – zwischen den zierlichen, blumenumrankten Säulchen, – die neueingekleideten Chorherren, die paarweise mit ausgeruhten Gesichtern vorüberzogen.

‹Das alles verdanken sie mir!› sagte Hochwürden bei sich selbst; und jedesmal ließ dieser Gedanke Anwandlungen von Stolz in ihm aufsteigen.

Er wurde dafür schwer bestraft, der Ärmste. Sie werden gleich sehen ...

Stellen Sie sich vor: Eines Abends kam er während des Gottesdienstes außergewöhnlich erregt in die Kirche, rot angelaufen, atemlos, mit schiefsitzender Kapuze und so durcheinander, daß er beim Weihwassernehmen die Ärmel bis zum Ellbogen eintauchte. Man glaubte zuerst, es geschehe aus Aufregung über die Verspätung; doch als man sah, daß er sich vor der Orgel und den Emporen anstatt vor dem Hochaltar tief ver-

saluer le maître-autel, traverser l'église en coup de vent, errer dans le chœur pendant cinq minutes pour chercher sa stalle, puis une fois assis, s'incliner de droite et de gauche en souriant d'un air béat, un murmure d'étonnement courut dans les trois nefs. On chuchotait de bréviaire à bréviaire :

– Qu'a donc notre Père Gaucher ?... Qu'a donc notre Père Gaucher ?

Par deux fois le prieur, impatienté, fit tomber sa crosse sur les dalles pour commander le silence... Là-bas, au fond du chœur, les psaumes allaient toujours ; mais les répons manquaient d'entrain...

Tout à coup, au beau milieu de l'*Ave verum*, voilà mon Père Gaucher qui se renverse dans sa stalle et entonne d'une voix éclatante :

> Dans Paris, il y a un Père blanc,
> Patatin, patatan, tarabin, taraban...

Consternation générale. Tout le monde se lève. On crie :

– Emportez-le... il est possédé !

Les chanoines se signent. La crosse de monseigneur se démène... Mais le Père Gaucher ne voit rien, n'écoute rien ; et deux moines vigoureux sont obligés de l'entraîner par la petite porte du chœur, se débattant comme un exorcisé et continuant de plus belle ses *patatin* et ses *taraban*.

Le lendemain, au petit jour, le malheureux était à genoux dans l'oratoire du prieur, et faisait sa *coulpe* avec un ruisseau de larmes :

– C'est l'élixir, Monseigneur, c'est l'élixir qui m'a surpris, disait-il en se frappant la poitrine. Et de le voir si marri, si repentant, le bon prieur en était tout ému lui-même.

– Allons, allons, Père Gaucher, calmez-vous, tout cela séchera comme la rosée au soleil... Après tout, le scandale n'a pas été aussi grand que vous pensez. Il

neigte, daß er in Windeseile durch die Kirche stürmte, fünf Minuten lang im Chor umherirrte, um seinen Platz zu suchen, und dann, als er endlich saß, sich nach links und rechts, selig lächelnd, verbeugte, ging ein Murmeln des Erstaunens durch die drei Kirchenschiffe. Von Brevier zu Brevier wurde geflüstert:

‹Was hat denn unser Pater Gaucher? . . . Was hat denn unser Pater Gaucher?›

Zweimal stieß der Prior unwirsch seinen Krummstab auf die Fliesen, um Ruhe zu gebieten . . . Ganz hinten im Chor gingen die Psalmen weiter, doch den Responsorien fehlte es an Schwung . . .

Plötzlich, mitten im *Ave verum*, lehnt sich mein guter Pater Gaucher in seinem Stuhl zurück und hebt mit schallender Stimme an:

In Paris gibt's einen Weißen Vater,
Jumpeidi, jumpeida, bumsval'ri, bumsval'ra . . .

Allgemeine Bestürzung. Alles steht auf. Man schreit:

‹Schafft ihn fort . . . Er ist besessen!›

Die Chorherren bekreuzigen sich. Der Hirtenstab des hochwürdigsten Herrn gerät in wilde Bewegung . . . Aber Pater Gaucher sieht nichts und hört nichts; zwei kräftige Mönche müssen ihn durch die kleine Pforte im Chor wegzerren. Er schlägt um sich wie einer, dem der Teufel ausgetrieben werden soll, und schmettert um so lauter sein *jumpeidi* und *bumsval'ra* weiter.

Am nächsten Tag, als der Morgen graute, kniete der Unglücksrabe im Betzimmer des Priors und beichtete seine Schuld unter einem Gießbach von Tränen:

‹Das Elixier ist schuld, hochwürdiger Vater, das Elixier hat mich überrumpelt,› sagte er und schlug sich an die Brust. Und als der gute Prior ihn so betrübt und reuig sah, war er selbst ganz gerührt.

‹Na, na, Pater Gaucher, beruhigt Euch nur, das wird alles trocknen wie Tau in der Sonne . . . Schließlich ist das Ärgernis nicht so groß gewesen, wie Ihr denkt. Das Liedchen war zwar

y a bien eu la chanson qui était un peu... hum! hum!... Enfin il faut espérer que les novices ne l'auront pas entendue... A présent, voyons, dites-moi bien comment la chose vous est arrivée... C'est en essayant l'élixir, n'est-ce pas? Vous aurez eu la main trop lourde... Oui, oui, je comprends... C'est comme le frère Schwartz, l'inventeur de la poudre: vous avez été victime de votre invention... Et dites-moi, mon brave ami, est-il bien nécessaire que vous l'essayiez sur vous-même, ce terrible élixir?

– Malheureusement, oui, Monseigneur... l'éprouvette me donne bien la force et le degré de l'alcool; mais pour le fini, le velouté, je ne me fie guère qu'à ma langue...

– Ah! très bien... Mais écoutez encore un peu que je vous dise... Quand vous goûtez ainsi l'élixir par nécessité, est-ce que cela vous semble bon? Y prenez-vous du plaisir?...

– Hélas! oui, Monseigneur, fit le malheureux Père en devenant tout rouge... Voilà deux soirs que je lui trouve un bouquet, un arôme!... C'est pour sûr le démon qui m'a joué ce vilain tour... Aussi je suis bien décidé désormais à ne plus me servir que de l'éprouvette. Tant pis si la liqueur n'est pas assez fine, si elle ne fait pas assez la perle...

– Gardez-vous-en bien, interrompit le prieur avec vivacité. Il ne faut pas s'exposer à mécontenter la clientèle... Tout ce que vous avez à faire maintenant que vous voilà prévenu, c'est de vous tenir sur vos gardes... Voyons, qu'est-ce qu'il vous faut pour vous rendre compte?... Quinze ou vingt gouttes, n'est-ce pas?... mettons vingt gouttes... Le diable sera bien fin s'il vous attrape avec vingt gouttes... D'ailleurs, pour prévenir tout accident, je vous dispense dorénavent de venir à l'église. Vous direz l'office du soir dans la distillerie... Et maintenant,
150 allez en paix, mon Révérend, et surtout... comptez
151 bien vos gouttes.

ein bißchen ... hm! hm! ... Letztlich muß man hoffen, daß die Novizen es nicht gehört haben ... Jetzt sagt mir mal, wie Euch das widerfahren ist ... Wohl beim Kosten des Elixiers, oder? Ihr habt vermutlich eine zu schwere Hand gehabt ... Ja, ja, ich verstehe ...

Wie Bruder Schwartz, der Erfinder des Schießpulvers, seid Ihr das Opfer Eurer Erfindung geworden ... Aber sagt mir doch, wackrer Freund, müßt Ihr es denn wirklich an Euch selber ausprobieren, dieses fürchterliche Elixier?›

‹Leider ja, hochwürdiger Vater ... Das Reagenzglas zeigt mir zwar die Stärke und den Alkoholgehalt an; doch für die Abrundung, die samtene Fülle, verlasse ich mich fast nur auf meine Zunge ...›

‹Aha! sehr gut ... Aber hört noch ein wenig zu, damit ich Euch was sage ... Wenn Ihr also notgedrungen das Elixier kostet, empfindet Ihr das als angenehm? Habt Ihr daran Vergnügen? ...›

‹Leider ja, hochwürdiger Vater,› sagte der unglückliche Pater und wurde ganz rot ... ‹Seit zwei Abenden, meine ich, hat es eine Blume ... ein Aroma! ... Diesen schlimmen Streich hat mir ganz sicher der Teufel gespielt ... Daher bin ich fest entschlossen, von jetzt an nur noch das Reagenzglas zu verwenden. Auch wenn der Likör dann nicht mehr ganz so edel ist und nicht mehr so perlt ...›

‹Davor hütet Euch aber!› unterbrach ihn der Prior lebhaft. Wir dürfen uns nicht der Gefahr aussetzen, daß die Kundschaft Anlaß zur Unzufriedenheit hat ... Alles, was Ihr nun, da Ihr gewarnt seid, zu tun habt, ist, auf der Hut zu sein ... Hört mal, was braucht Ihr für Eure Prüfung? ... Fünfzehn bis zwanzig Tropfen, nicht wahr? ... Sagen wir zwanzig ... Der Teufel müßte schon sehr pfiffig sein, wollte er Euch mit zwanzig Tropfen überlisten ...

Übrigens, um jeder Panne vorzubeugen, entbinde ich Euch von jetzt an vom Kirchgang. Ihr werdet die Abendandacht in der Brennerei verrichten ... Und nun, mein Sohn, gehet hin in Frieden, und vor allem ... zählt genau Eure Tropfen!›

Hélas ! le pauvre Révérend eut beau compter ses gouttes . . . le démon le tenait, et ne le lâcha plus.
C'est la distillerie qui entendit de singuliers offices !

Le jour, encore, tout allait bien. Le Père était assez calme : il préparait ses réchauds, ses alambics, triait soigneusement ses herbes, toutes herbes de Provence, fines, grises, dentelées, brûlées de parfums et de soleil . . . Mais, le soir, quand les simples étaient infusés et que l'élixir tiédissait dans de grandes bassines de cuivre rouge, le martyre du pauvre homme commençait.

– . . . Dix-sept . . . dix-huit . . . dix-neuf . . . vingt !

Les gouttes tombaient du chalumeau dans le gobelet de vermeil. Ces vingt-là, le père les avalait d'un trait, presque sans plaisir. Il n'y avait que la vingt et unième qui lui faisait envie. Oh ! cette vingt et unième goutte ! . . . Alors, pour échapper à la tentation, il allait s'agenouiller tout au bout du laboratoire et s'abîmait dans ses patenôtres. Mais de la liqueur encore chaude il montait une petite fumée toute chargée d'aromates, qui venait rôder autour de lui et, bon gré mal gré, le ramenait vers les bassines . . . La liqueur était d'un beau vert doré . . . Penché dessus, les narines ouvertes, le père la remuait tout doucement avec son chalumeau, et dans les petites paillettes étincelantes que roulait le flot d'émeraude, il lui semblait voir les yeux de tante Bégon qui riaient et pétillaient en le regardant . . .

– Allons ! encore une goutte !

Et de goutte en goutte, l'infortuné finissait par avoir son gobelet plein jusqu'au bord. Alors, à bout de forces, il se laissait tomber dans un grand fauteuil, et le corps abandonné, la paupière à demi close, il dégustait son péché par petits coups, en se disant tout bas avec un remords délicieux :

152 – Ah ! je me damne . . . je me damne . . .

153 Le plus terrible, c'est qu'au fond de cet élixir

Ach! Der arme Pater zählte wohl seine Tropfen, ... aber der Böse hielt ihn fest und ließ ihn nicht mehr los.
Die Brennerei wurde Schauplatz seltsamer Andachten!

Tagsüber ging alles noch gut. Der Pater war ziemlich ruhig: er richtete seine Kocher und Destillierkolben her, sortierte sorgfältig seine Kräuter,

durchwegs Kräuter der Provence, zarte, graue, gezackte, von Düften und Sonne verbrannte ... Aber am Abend, wenn die Heilkräuter eingeweicht waren und das Elixier in großen, roten Kupferkesseln abkühlte, begann für den Armen die Qual.

‹... Siebzehn ... achtzehn ... neunzehn ... zwanzig! ...›

Die Tropfen fielen aus dem Saugheber in den Becher aus feuervergoldetem Silber. Diese zwanzig schluckte der Pater auf einen Zug, fast ohne Genuß. Erst der einundzwanzigste erregte sein Verlangen. Oh, dieser einundzwanzigste Tropfen! ... Um dann der Versuchung zu entgehen, kniete er am äußersten Ende des Labors nieder und versenkte sich in seine Vaterunser. Doch dem noch heißen Likör entstieg ein kräftig mit Duftstoffen angereichertes Dampfwölkchen, das um ihn strich und ihn, ob er wollte oder nicht, an seine Kessel zurückbrachte ... Der Likör war schön goldgrün ...

Mit geweiteten Nasenflügeln darüber gebeugt, rührte der Pater ihn ganz sacht mit einem Saugheber um, und in den kleinen, glitzernden Fünkchen, die in der smaragdenen Flüssigkeit trieben, glaubte er, Tante Bégons Augen zu erblicken. Sie lachten und blitzten, als sie ihn ansahen ...

‹Na, noch ein Tropfen!›

Tropfen um Tropfen – schließlich hatte der Unselige seinen Becher bis zum Rand voll. Dann ließ er sich entkräftet in einen großen Sessel fallen und kostete schlückchenweise seine Sünde, erschöpften Leibes und mit halbgeschlossenen Lidern. Dabei sagte er sich ganz leise mit wonnigen Gewissensbissen:

‹Ach! Ich stürze mich in Verdammnis ... ich stürze mich in Verdammnis ...›

Das Schrecklichste war, daß er auf dem Grunde dieses

diabolique, il retrouvait, par je ne sais quel sortilège, toutes les vilaines chansons de tante Bégon : *Ce sont trois petites commères, qui parlent de faire un banquet*. . ., ou : *Bergerette de maître André s'en va-t-au bois seulette*. . . et toujours la fameuse des Pères blancs : *Patatin patatan*.

Pensez quelle confusion le lendemain, quand ses voisins de cellule lui faisaient d'un air malin :

– Eh ! eh ! Père Gaucher, vous aviez des cigales en tête, hier soir en vous couchant.

Alors c'étaient des larmes, des désespoirs, et le jeûne, et le cilice, et la discipline. Mais rien ne pouvait contre le démon de l'élixir ; et tous les soirs, à la même heure, la possession recommençait.

Pendant ce temps, les commandes pleuvaient à l'abbaye que c'était une bénédiction. Il en venait de Nîmes, d'Aix, d'Avignon, de Marseille . . . De jour en jour le couvent prenait un petit air de manufacture. Il y avait des frères emballeurs, des frères étiqueteurs, d'autres pour les écritures, d'autres pour le camionnage ; le service de Dieu y perdait bien par-ci par-là quelques coups de cloches ; mais les pauvres gens du pays n'y perdaient rien, je vous en réponds . . .

Et donc, un beau dimanche matin, pendant que l'argentier lisait en plein chapitre son inventaire de fin d'année et que les bons chanoines l'écoutaient les yeux brillants et le sourire aux lèvres, voilà le Père Gaucher qui se précipite au milieu de la conférence en criant :

– C'est fini . . . Je n'en fais plus . . . Rendez-moi mes vaches.

– Qu'est-ce qu'il y a donc, Père Gaucher ? demanda le prieur, qui se doutait bien un peu de ce qu'il y avait.

– Ce qu'il y a, Monseigneur ? . . . Il y a que je suis en train de me préparer une belle éternité de flammes et de coups de fourche . . . Il y a que je bois, que je bois comme un misérable . . .

teuflischen Elixiers, ich weiß nicht durch welchen Zauber, alle die unflätigen Lieder der Tante Bégon wiederfand: *Drei kleine Gevatterinnen, die wollen ein festliches Mahl . . .*, oder: *Meister Andrés Schäferin zieht alleine in den Wald . . .*, und immer wieder das berühmte von den Weißen Vätern: *Jumpeidi, jumpeida.*

Stellen Sie sich die Verlegenheit vor, wenn anderntags seine Zellennachbarn schalkhaft bemerkten:

‹Na, na! Ihr hattet ja Grillen im Kopf, gestern abend beim Schlafengehen.›

Es gab dann Tränen, Verzweiflungsausbrüche, Fasten, Büßerhemd, Kasteiungen. Doch nichts vermochte gegen den Dämon des Elixiers etwas auszurichten, und jeden Abend begann zur selben Stunde die Besessenheit aufs neue.

Währenddessen strömten die Bestellungen nur so in die Abtei, daß es ein rechter Segen war. Es kamen welche aus Nîmes, aus Aix, aus Avignon, aus Marseille . . . Von Tag zu Tag ähnelte das Kloster ein bißchen mehr einer Fabrik. Es gab Brüder Etikettierer, Brüder Verpacker, andere, die für die Schreibarbeit zuständig waren, wieder andere für den Transport. Wohl kam der Gottesdienst hin und wieder um ein paar Glockenschläge zu kurz, nicht aber die Armen der Gegend; darauf können Sie sich verlassen . . .

Aber dann, gerade als eines schönen Sonntagmorgens der Schatzmeister vor dem versammeltem Kapitel seinen Jahresabschluß verlas und die guten Chorherren mit leuchtenden Augen und einem Lächeln auf den Lippen ihm lauschten, platzt Pater Gaucher mitten in die Zusammenkunft und schreit:

‹Schluß! . . . Ich mache keinen mehr . . . Gebt mir meine Kühe wieder!›

‹Was ist denn los, Pater Gaucher?› fragte der Prior, der wohl ein wenig ahnte, was los war.

‹Was los ist, ehrwürdiger Vater? . . . Ich bin auf dem besten Weg, mir eine Ewigkeit in den Flammen und mit Gabelstichen zu bereiten . . . Ich saufe nämlich, ich saufe wie ein Bürstenbinder . . .›

– Mais je vous avais dit de compter vos gouttes.

– Ah ! bien oui, compter mes gouttes ! c'est par gobelets qu'il faudrait compter maintenant... Oui, mes Révérends, j'en suis là. Trois fioles par soirée... Vous comprenez bien que cela ne peut pas durer... Aussi, faites faire l'élixir par qui vous voudrez... Que le feu de Dieu me brûle si je m'en mêle encore !

C'est le chapitre qui ne riait plus.

– Mais, malheureux, vous nous ruinez ! criait l'argentier en agitant son grand-livre.

– Préférez-vous que je me damne ?

Pour lors, le prieur se leva.

– Mes Révérends, dit-il en étendant sa belle main blanche où luisait l'anneau pastoral, il y a moyen de tout arranger... C'est le soir, n'est-ce pas, mon cher fils, que le démon vous tente ?...

– Oui, monsieur le prieur, régulièrement tous les soirs... Aussi, maintenant, quand je vois arriver la nuit, j'en ai, sauf votre respect, les sueurs qui me prennent, comme l'âne de Capitou quand il voyait venir le bât.

– Eh bien ! rassurez-vous.-.. Dorénavant, tous les soirs, à l'office, nous réciterons à votre intention l'oraison de saint Augustin, à laquelle l'indulgence plénière est attachée... Avec cela, quoi qu'il arrive vous êtes à couvert... C'est l'absolution pendant le péché.

– Oh bien ! alors, merci, monsieur le prieur !

Et, sans en demander davantage, le Père Gaucher retourna à ses alambics, aussi léger qu'une alouette.

Effectivement, à partir de ce moment-là, tous les soirs, à la fin des complies, l'officiant ne manquait jamais de dire :

– Prions pour notre pauvre Père Gaucher, qui sacrifie son âme aux intérêts de la communauté.. *Oremus Domine*...

156 Et pendant que sur toutes ces capuches blanches
157 prosternées dans l'ombre des nefs, l'oraison courait

‹Aber ich hatte Euch doch gesagt, Ihr solltet die Tropfen zählen.›

‹Ach ja, meine Tropfen zählen! Die Becher müßte man jetzt zählen ... Ja, ehrwürdige Herren, so weit ist es mit mir gekommen. Drei Fläschchen pro Abend ... Ihr versteht wohl, daß das auf die Dauer nicht geht ... Laßt daher das Elixier herstellen von wem Ihr wollt! ... Das Feuer Gottes möge mich verzehren, wenn ich mich noch damit befasse!›

Dem Kapitel war nicht mehr nach Lachen zumute.

‹Aber, Unglücksrabe, Ihr richtet uns zugrunde!› rief der Schatzmeister und schwenkte sein Hauptbuch.

‹Hättet Ihr's lieber, daß ich mich in die Verdammnis stürze?›

Da erhob sich der Prior.

‹Ehrwürdige Brüder,› sagte er und streckte seine schöne, weiße Hand mit dem funkelnden Hirtenring aus, ‹es gibt eine Möglichkeit, alles ins Lot zu bringen ... Mein lieber Sohn, der Böse versucht Euch doch des Abends, oder? ...›

‹Ja, Herr Prior, regelmäßig jeden Abend ... Wenn ich jetzt sehe, daß es Nacht wird, bricht mir daher, mit Verlaub, der Schweiß aus, genau wie es Capitous Esel erging, sobald er den Packsattel kommen sah.›

‹Na schön, beruhigt Euch nur! ... Von nun an werden wir jeden Abend beim Gottesdienst das Gebet des heiligen Augustinus für Euch sprechen, mit dem der vollkommene Ablaß verbunden ist ... Damit seid Ihr, was auch geschehen mag, aus dem Schneider ... Es ist die Absolution während der Sünde.›

‹Oh gut! Dann also danke, Herr Prior!›

Und ohne weiter zu fragen, kehrte der Pater Gaucher, leichtbeschwingt wie eine Lerche, zu seinen Destillierkolben zurück.

In der Tat versäumte der die Andacht leitende Priester fortan nie, am Ende des Abendgebets zu sagen:

‹Lasset uns beten für unseren armen Pater Gaucher, der seine Seele dem Wohl der Gemeinschaft aufopfert ... *Oremus Domine* ...›

Und während über alle diese weißen Kapuzen, die im Schatten der Kirchenschiffe hingestreckt lagen, das Gebet zitternd

en frémissant comme une petite bise sur la neige, là-bas, tout au bout du couvent, derrière le vitrage enflammé de la distillerie, on entendait le père Gaucher qui chantait à tue-tête:

Dans Paris il y a un Père blanc,
Patatin, patatan, taraban, tarabin;
Dans Paris il y a un Père blanc
Qui fait danser des moinettes,
Trin, trin, trin, dans un jardin
Qui fait danser des...

Ici le bon curé s'arrêta plein d'épouvante:
– Miséricorde! si mes paroissiens m'entendaient!

hinweglief wie ein leichter Nordwind über den Schnee, hörte man drüben, ganz am Ende des Klosters, hinter dem hell erleuchteten Fenster der Brennerei, Pater Gaucher aus Leibeskräften singen:

In Paris gibt's einen Weißen Vater,
Jumpeidi, jumpeida, bumsval'ri, bumsval'ra;
In Paris gibt's einen Weißen Vater,
Welcher Nönnlein tanzen läßt,
Trippel, trappel, tanzen läßt
In einem Garten...»

Hier hielt der gute Pfarrer entsetzt inne:

«Barmherzigkeit! Wenn meine Pfarrkinder mich hörten!»

«Briefe aus meiner Mühle» – die bloße Nennung dieses Buchtitels löst, bei Deutschen wie Franzosen, die Assoziation «Provence» aus. Jeder denkt an sonnendurchglühtes Land, an Mistral und Tramontana, an duftende Lavendelfelder, Thymian und Rosmarin, an Troubadoure des Mittelalters, an das Volkslied vom Pont d'Avignon. Auch einzelne Geschöpfe des Autors kommen einem in den Sinn: der ehrwürdige Bruder Gaucher mit seinem köstlichen Elixier, der Pfarrer von Cucugnan, die Mauleselin des Papstes, die Ziege von Herrn Seguin, die kokette Arlesierin – und, mit ihr zugleich, Bizets Musik. Und dann kommt noch die Erinnerung an Bilder, zu denen Zeichner, Graphiker und Maler durch Daudets Geschichten angeregt wurden. Eine ähnliche Reihe von Provence-Assoziationen wird vom «Tartarin aus Tarascon» in Gang gesetzt. Wer in der Geschichte der französischen Literatur bewandert ist, mag bedauern, daß unser Bild von der Provence nicht *auf Dauer* durch Mistral und die provenzalisch schreibende Gruppe des «Félibrige» bestimmt worden ist, doch läßt sich kaum bezweifeln, daß Daudet die größere Langzeitwirkung ausübt.

Auf die lustigste Weise wurde mir seine Allgegenwärtigkeit im Sommer 1984 in Avignon vor Augen geführt. Ich bummelte durch die Rue de la République in Richtung Busbahnhof. Auf der Höhe des abbiegenden Boulevard Raspail, vor der Anlage zur Linken, begegnete ich zwei Männern, von denen jeder eine Ziege am Strick führte, besser gesagt: hinter sich her zerrte. Mit fiel auf, daß die zahlreichen Leute, die auf den Parkbänken den Spätnachmittag genossen, das Geschehen durchaus nicht außergewöhnlich fanden. Erst als die eine der Ziegen ihren Herrn regelrecht ins Schwitzen brachte, machte sich Heiterkeit bemerkbar. Ich näherte mich, auf einen gewissen Sicherheitsabstand bedacht, zog den Hut und grüßte schmunzeld: «Bonjour, M. Seguin.» Das war das Stichwort für einen großen Auftritt. «Mein Herr, Sie täuschen sich.

M. Seguin war mein Ururgroßvater mütterlicherseits. Und dieses Biest ist eine Urururururenkelin der Renaude. Leider gibt's bei uns keine Wölfe mehr. Sie wissen ja: die Provence ist auch nicht mehr das, was sie mal war... Dieses Biest hier verdiente, gefressen zu werden.»

Wer war Alphonse Daudet? Er wurde 1840 in Nîmes geboren, das nicht zur Provence, sondern zum Languedoc gehört. Der Vater, Besitzer einer Seidendruckerei, machte Bankrott und siedelte 1849/50 mit der ganzen Familie nach Lyon über, wo ihm wiederum der berufliche Erfolg versagt blieb. Die Kindheit in und um Nîmes, vor allem im Dorf Bezouces, bildet den Hintergrund des Romans «Der kleine Dingsda». Die Sprache im Elternhaus war französisch, aber von den Bauern lernte Alphonse, der ein Streuner und Schulschwänzer war, das Provenzalische. Sechzehnjährig übernahm er eine Stelle als Studienaufseher in einem Internat, aber nach wenigen Monaten ging er nach Paris und lebte dort, mit seinem älteren Bruder ein Mansardenzimmer teilend, als Bohemien. Ein Gedichtbändchen, «Les Amoureuses» (1858), ließ zwar literarische Zirkel aufhorchen, doch erst durch die Freundschaft mit Frédéric Mistral, dessen provenzalisches Epos «Mirèio» 1859 eine Lieblingslektüre der hauptstädtischen Salons zu werden begann, wurde Daudet einbezogen in ein Netz von Verbindungen mit anderen Schriftstellern und Theaterleuten. Er bekam die Stelle eines Privatsekretärs beim Herzog von Morny, dem Halbbruder Napoleons III., die ihm viel freie Zeit ließ und Reisemöglichkeiten bot. Immer klarer wurde ihm bewußt, wie sehr er, der nun – vor allem dank Mistral – des öfteren in die Provence reiste, dieser Region innerlich zugehörte. Die ersten Aufzeichnungen aus dem Umkreis der Mühle stammen aus den Jahren 1863/64; 1866 erschien die erste Folge der «Briefe». Im Jahr darauf heiratete Daudet die Schriftstellerin Julie Allard, die auch seine Mitarbeiterin wurde. Aus der glücklichen Ehe gingen drei Kinder hervor.

1879 erschien die erweiterte und endgültige Fassung der «Briefe». Daudet schildert die Provence als ein Land im Umbruch; man betrachte nur das Fazit, das er in «Meister Cornilles Geheimnis» zieht. Der Autor hat, wie gerade der

Schluß dieser Geschichte zeigt, sowohl für den von Paris ausgehenden technischen Fortschritt als auch für den Beharrungswillen der Provinz Verständnis. Dieses Offensein in beiden Richtungen erklärt wohl zum Teil seine nachhaltige Wirkung. Daudet scheint, bei aller Freundschaft zur Gruppe des «Félibrige», erkannt zu haben, daß diese eine Sprache gewählt hatte, die zwar eine kurze Zeit des Glanzes erlebte, aber keine Zukunft haben würde. Die provenzalischen Wörter, die er selber, recht sparsam übrigens, in seine Geschichten einstreut (z. B. *mas, baïle, miarro, cagnard, pécaïre*), sind für den französischen Leser lediglich exotische Tupfer, die Atmosphäre schaffen.

Für die meisten «Briefe» ist eine Mischung aus Phantasie und Realismus bezeichnend. Das gilt für die Volkslegenden mit ironischen Untertönen (Die Mauleselin des Papstes, Der Pfarrer von Cucugnan, Die drei stillen Messen, Das Elixier des Hochwürdigen Paters Gaucher), für den Bericht, in dem plötzlich ein Märchenmotiv auftaucht (Die Alten), für die fabelartige Geschichte (Die Ziege des Herrn Seguin). Es gibt allerdings auch rein realistische Schilderungen (Die Arlesierin, Die beiden Gasthäuser).

Oft spiegelt der Schluß einer Geschichte die «Tonart» des Ganzen wider. In «Die Mauleselin des Papstes» steuert alles auf den Augenblick zu, wo das gedemütigte Tier endlich Gelegenheit findet, dem Sadisten Védène ihren sieben Jahre aufgesparten Huftritt zu verpassen. Der Tritt wird metaphorisch im allerletzten Satz wiederholt: «Es gibt kein schöneres Beispiel für die Rachsucht der Kirche.» Oder wie schelmisch gibt Daudet zu erkennen, daß er soeben eine *blague* erzählt, also den Leser auf den Arm genommen hat («Der Pfarrer von Cucugnan»). Hier wie auch in dem «Ganz sicher» der Weihnachtsgeschichte («Die drei stillen Messen», letzter Satz) drängt sich die Parodie eines Bibelzitats (Markus 16,16) auf: «Wer's glaubt, wird selig, und wer's nicht glaubt, kommt auch in den Himmel.»

Auf ein stilistisches Merkmal der «Briefe» sei kurz hingewiesen, weil es besonders deutlich macht, was Daudets «impressionistische» Schreibweise genannt wird. Es ist der

häufige Verzicht auf das Verb (z. B. S. 67, 2. Absatz). – Nicht erörtern wollen wir, wieviel Daudet mit den Theorien der Brüder Goncourt oder mit dem Naturalismus von Emile Zola im Sinne hatte. Auch auf den oft angestellten und gewiß naheliegenden Vergleich mit Charles Dickens sei nicht eingegangen. Diese Einflüsse lassen sich allenfalls in den späteren Romanen nachweisen. Die Eigenständigkeit des Autors zeigt sich am stärksten in seinem Jugendwerk, also in den «Briefen aus meiner Mühle», im «Kleinen Dingsda» (1868), im «Tartarin aus Tarascon» (1872) sowie in einzelnen «Montagsgeschichten» (1873).

Bleibt noch zu erwähnen, daß Daudet sich nachdrücklich für die Gründung der Académie Goncourt einsetzte, deren erste Zusammenkunft er freilich nicht mehr erlebte. Er starb 1897 in Paris an einem Rückenmarksleiden, das ihn dreizehn Jahre lang gepeinigt hatte. – Ein kleines Daudet-Museum befindet sich dort, wo der liebenswürdige Erzähler nach Meinung seiner vielen Verehrer letztlich zu Hause ist: in der Provence – in der alten Mühle bei Fontvieille.

Auf den folgenden Seiten sind alle französisch-deutschen und einige andere Bände der Reihe dtv zweisprachig angezeigt.

französisch-deutsch

Charles Baudelaire: Vingt Poèmes en Prose / Zwanzig Gedichte in Prosa. – dtv 9083

Albert Camus: Les Muets. L'Hôte / Die Stummen. Der Gast. Erzählungen. – dtv 9105

Alphonse de Lamartine: Portraits de Révolutionnaires / Gestalten der Revolution. Über Mirabeau, La Fayette, Vergniaud, Madame Roland, Rouget de Lisle, Théroigne de Méricourt, Marat, Lebon, Danton, Saint-Just, Robespierre. – dtv 9210

André Malraux: Guerre et Fraternité / Krieg und Brüderlichkeit. – dtv 9184

Guy de Maupassant: Nouvelles Choisies / Ausgewählte Novellen. – dtv 9016

André Maurois: Fleurs de Saison / Blumen der Jahreszeit. Erzählungen. – dtv 9113

Blaise Pascal: Le Cœur et ses Raisons. Pensées / Logik des Herzens. Pensées. – dtv 9169

Charles Perrault: Le Chat Botté et les autres Contes de Fées / Der gestiefelte Kater und die anderen Märchen. Illustriert. – dtv 9196

Antoine de Saint-Exupéry: Le Désert. Les Camarades / Die Wüste. Die Kameraden. Aus «Terre des Hommes». – dtv 9103

Georges Simenon: Maigret et l'Inspecteur Malgracieux / Maigret und der brummige Inspektor. – Kriminalnovelle. – dtv 9014

Voltaire: 20 Articles du Dictionnaire Philosophique Portatif / 20 Artikel aus dem Philosophischen Taschenwörterbuch. – dtv 9213

Émile Zola: Comment on se marie et Comment on meurt / Wie man heiratet und wie man stirbt. Soziale Reportagen. – dtv 9090

Nouvelles Exemplaires / Französische Meister-Erzählungen. Balzac, Daudet, Flaubert, France, Maupassant, Mérimée, Stendhal, Vigny, Zola. – dtv 9192

Choix de Nouvelles Classiques / Klassische französische Erzählungen. Marguerite de Navarre, Paul Scarron, Madame de La Fayette, Marivaux, Voltaire, Diderot. – dtv 9045

Choix de Nouvelles Modernes / Moderne französische Erzählungen. Hugo, Mérimée, Flaubert, Daudet, Zola, France, Maupassant, Proust, Colette, Giraudoux. – dtv 9034

Choix de Nouvelles Contemporaines / Zeitgenössische französische Erzählungen. Dorgelès, Maurois, Giono, Cocteau, Supervielle, Arland, Cesbron, Fougère. – dtv 9038

Textes Surréalistes / Surrealistisches Lesebuch. Aragon, Breton, Desnos, Eluard, Leiris, Péret, Queneau, Soupault. – dtv 9172

Parler d'Amour / Französische Liebesgeschichten. Balzac, Chateaubriand, Stendhal, Verlaine, Mallarmé, Daudet, Maupassant, Zola, France. – dtv 9209

Poèmes français / Französische Gedichte. – dtv 9182

Proverbes français / Französische Sprichwörter. Illustriert. – dtv 9161

Rire et Sourire / Französische Witze. – dtv 9060

deutsch-französisch

Deutsche Erzählungen (1) / Contes Allemands (1). Andersch, Bachmann, Böll, Grass, Lenz, Schnurre, Wohmann. – dtv 9109

Deutsche Erzählungen (2) / Contes Allemands (2). Doderer, Hofmannsthal, Kafka, Musil, Rilke, Roth, Schnitzler. – dtv 9138

englisch-deutsch

Joseph Conrad: The Secret Sharer / Der heimliche Teilhaber. Erzählung. – dtv 9001

Charles Dickens: The two Tales of the Bagman / Die zwei Erzählungen des Handlungsreisenden. Illustriert. – dtv 9012

Walter Scott: The Two Drovers / Die beiden Viehtreiber. Erzählung. Illustriert. – dtv 9212

Mark Twain: Six Odd Short Stories / Sechs erstaunliche Kurzgeschichten. – dtv 9035

italienisch-deutsch

Giovanni Guareschi: Un poco di Don Camillo, un poco di Peppone / Ein bißchen Don Camillo, ein bißchen Peppone. Erzählungen. – dtv 9198

Luigi Pirandello: Una Giornata / Wie ein Tag. Fünf Erzählungen. – dtv 9010

spanisch-deutsch

Benito Pérez Galdós: La Novela en el Tranvia / Der Roman in der Straßenbahn. – dtv 9205

Narradores españoles. La generación del 1914 / Spanische Erzähler. Die Generation von 1914. Blasco Ibañez, Fernánde Flórez, Gómez de la Serna, Miró, Pérez de Ayala, Sanche Mazas. – dtv 9219

russisch-deutsch

Fjodor M. Dostojewskij: Drei Erzählungen. – dtv 9054

Alexander S. Puschkin: Der Postmeister. Der Schuß. De Schneesturm. Erzählungen. – dtv 9104